JN085950

古代インド占星術があなたの運勢を読み解く
ディヴァラト・カシヤップ導師の

ラシ占い

ディヴァラト・カシヤップ 著

अपने भाग्य पर पूर्ण समर्पण करनेके बजाय मैं आपके भाग्यका सुझाव देता हूं ।।

यह आपको एक खुशहाल रास्ता चुनने की सुविधा देता है। ।

देवव्रत काश्यप

訪れる運命に身を委ねる方もいるでしょう。

私のお示しする運命が、あなたを幸せへの道へと導きます。

ディヴァラト・カシヤップ

はじめに

はじめまして。
わたしはインドの占星術師、ディヴァラト・カシヤップと申します。
わたしはインド占星術で毎日多くの人を鑑定しています。
インド占星術の歴史は古く、五千年前から行なわれているとも伝えられています。
インドでは昔から、国家の政治、経済の予測にも使われてきました。
西洋占星術もインド占星術から派生したと言われています。
インドではもうひとつの占星術の秘術があります。
それが今回ご紹介する「ラシ占い」です。
名まえ（姓ではない）のイニシャルで鑑定するのです。
広く鑑定できる方法としてインド占星術では重用されています。
インドでは古来から占星術を使い、
生まれた日の月の位置から名まえをつけます。
現在でも続けられているものです。

名まえはそれぞれのラシ（＝部屋）に属しているのです。
それぞれのラシにはそれぞれの性格や運命があります。
この「ラシ占い」はあなたのイニシャルからラシを導き出し、
そのラシに秘められたあなたの運命を観ていこうというものです。
今、世の中には未曾有の事態が起こっています。
そんな中でも運命は良い方向に導くことができます。
少しでも被害を小さく、少しでも幸せへと誘うのです。
このインド占星術「ラシ占い」を意識しながら、生活して欲しいと願います。
とても困ったときにはマンダラの前でマントラを唱えてください。
あなたを助けてくれることでしょう。
わたしのライフワークでもある占星術＝未来予知を、
この場をお借りして日本ではじめて公開します。
あなたのお役に立てれば、嬉しい限りです。

ディヴァラト・カシヤップ

本書「ラシ占い」につきまして。

本書はインドで古くから行われているラシ占いで鑑定します。

結論から申し上げますと、この「ラシ占い」は本名の名まえ（姓ではない）のイニシャルからあなたのラシを導きます。（例、Aではじまる名まえの方は「MESH RASHI」にあたるので「MESH RASHI」を見る。）割り出されたラシにあなたの運命とこれからの運勢が示されています。

インドでは生まれた日のラシによって、名まえのイニシャルが決まっています。逆もまた真なり。あなたが生まれたときにつけられたイニシャルはどこかのラシに所属するということです。

「ラシ」ごとに所属するイニシャルを一覧にしました。あなたのイニシャルが所属する「ラシ」に神秘の運命が詳細に鑑定されています。幸運の期間を逃さないように、また、トラブルがありそうな期間を慎重に過ごすための道しるべとなるためのガイドなのです。

それぞれのラシのページには基本性格と運勢、続いて2020年下半期の運勢を鑑定しています。全体の印象と「太陽」「火星」「水星」「木星」「金星」「土星」の動きからも細かく観ています。惑星ごとの動きを観るために、期間によって矛盾していることがあります。ですが、それは良い期間ではあるけれど、慎重に事を運ばないと悪いことが起こりうるという徴（しるゐ）しかもしれませんし、「災い転じて福となす」というような徴しなのかもしれません。

それぞれのラシが始まるページにはその部屋のマンダラがあります。このページを切り離して、壁に貼り、この神を思い浮かべながら、困ったとき、お願い事があるときにはマンダラ（絵図）の下にあるマントラ（真言）を心の中で唱えてください。ヒンディー語のマントラの下にある片仮名を唱えましょう。マンダラはスマートフォンなどの待ち受けにするなど常に携帯することで、さらにあなたの運を強くします。

また、本書ではあなたの運命の日を「恋愛力がアップする日」など覚えておきたい重要な日を挙げています。日々の参考にしてください。

「ラシ占い」につきまして。

RASHI	イニシャル
MESH RASHI （メシュ ラシ）**P11〜**	**A, I, E, O, L, X** からはじまる イニシャルのあなたへ
VRISHABH RASHI （ヴリシャバ ラシ）**P23〜**	**B, U, W, V** からはじまる イニシャルのあなたへ
MITHUN RASHI （ミトゥン ラシ）**P35〜**	**K, Q** からはじまる イニシャルのあなたへ
KARKA RASHI （カルカ ラシ）**P47〜**	**H** からはじまる イニシャルのあなたへ
SIMHA RASHI （シンハ ラシ）**P59〜**	**M** からはじまる イニシャルのあなたへ
KANYA RASHI （カンニャ ラシ）**P71〜**	**N, P** からはじまる イニシャルのあなたへ
TULA RASHI （トゥラ ラシ）**P83〜**	**T, R** からはじまる イニシャルのあなたへ
VRISHCHIK RASHI （ヴリスチク ラシ）**P95〜**	**Y** からはじまる イニシャルのあなたへ
DHANU RASHI （ドゥヌゥ ラシ）**P107〜**	**F** からはじまる イニシャルのあなたへ
MAKAR RASHI （マカル ラシ）**P119〜**	**J** からはじまる イニシャルのあなたへ
KUMBHA RASHI （クンブゥ ラシ）**P131〜**	**G, S** からはじまる イニシャルのあなたへ
MEENA RASHI （ミヌゥ ラシ）**P143〜**	**C, D, Z** からはじまる イニシャルのあなたへ

※ラ行のRとLは名まえの由来の関わりから調べて下さい。いつも使うローマ字がRであれば、TULA RASHIになります。LであればMESH RASHIがあなたのラシになります。

「ラシ占い」目次

MESH RASHI《メシュ ラシ》

「A」「I」「E」「O」「L」「X」からはじまるイニシャルのあなたへ

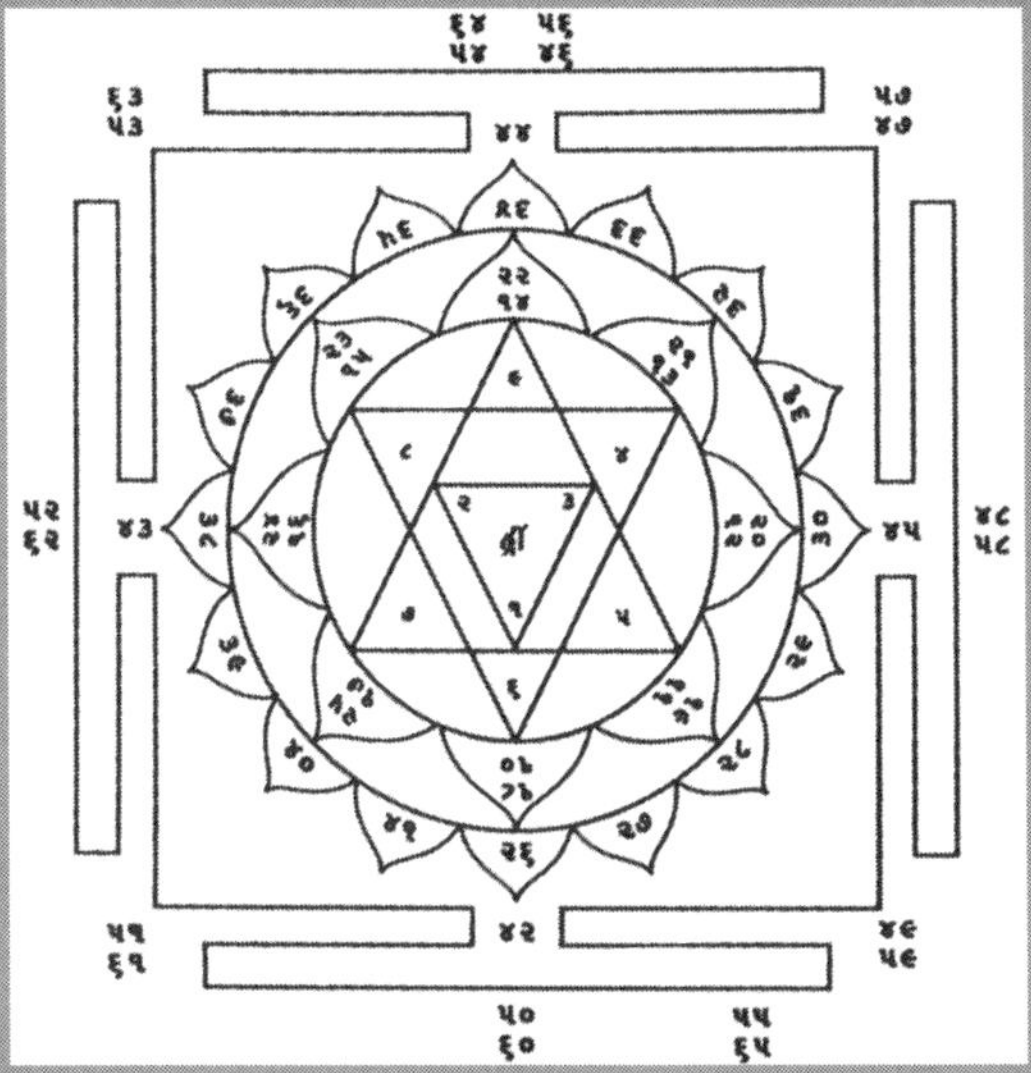

マントラ

ॐ ध्रुणी सूर्य आदित्य ॐ

オーム デュルニ スウリャ アディテイア オーム

メシュ ラシを司るKARTIKEYA（カルティケヤ神）について。

カルティケヤは戦争の神。神軍の武将で、戦略家だったことから戦争の神とされています。その姿は片手に弓矢、片手にジャベリン(投げ矢のような武器)を持っていたそうです。戦争というと物騒ですが、戦争だけでなく、あらゆる困難な状況において「戦術を立てる」という才能に秀でていました。戦術を立てるということはつまり優れた知性を持っていた頭の良い神なのです。また、災害を操るエキスパートでもあります。ピーコックがカルティケヤ神を運ぶと言われています。

メシュ ラシの基本性格と運勢

戦略家の思考力で未来を切り拓く！

メシュ ラシを司るのはカルティケヤ神です。インドではカルティケヤ神は軍事の神であり、最高の戦争戦略家として知られています。あなたも前へ前へと進む勇敢な魂と戦略家として明晰な思考力が潜在能力としてあるようです。誰にも負けたくないという闘争心と猛烈な仕事への取り組みがあなたの運命をつくっていくのです。仕事をきちんとこなし、常識からはみ出さないタイプです。あなたは人の下で働くことを好まず、自分自身のビジョンや業績で進んでいくことを好みます。本質的に反抗的なのです。また「頻繁な移動」が出ています。たとえば引越しが多いとか、転職が多い、また海外に多く出るなどという具合に現れるようです。そういった移動の先々で良い仕事を見つけたり、良い人脈を得られそう。良くも悪くもマイペースですが、それがあなたの運勢を開くようです。

この部屋のあなたは生来孤独を好みます。他人のことより自分の内側に心が向くタイプです。そのせいか他人からは口数は少なく、静かに微笑んでいるように見られがちです。しかし、あなたの内に秘めたスピリットは野心的で、勇敢な気質を持っています。その気質は会社経営、コンサルティング、起業家として明確なビジョンをもって成功する力となるでしょう。その一方で、短気なところがあり、自分自身を懐疑的に見る傾向もあるようです。他力本願はあなたには似合いません。あなたの性格は真っ直ぐで、寛大で、自由を愛する精神に満ちています。ですが、好き嫌いを打ち明けるのが苦手なようです。そのためあなたはときどき友だちからノリが悪い、とか、空気が読めない人と思われてしまうこともあるので注意して。

メシュ ラシのキーワードは「孤独」「内に秘める」「勇敢」「移動」「自由」「競争心」などです。

MESH RASHI（メシュ ラシ）
「A」「I」「E」「O」「L」「X」のイニシャルのあなたに。

メシュ ラシ　2020年下半期の運勢

公私とも順調だが、感情の揺れに注意。

特別大きな苦難にみまわれることはなく心配事も少ないでしょう。出費は増えますが、同時にあなたの社会的地位が上がり、周りからの尊敬の念も増えるでしょう。近い友だちや恋人とは彼らがあなたを心配するあまり行き違いや勘違いが起きるかもしれません。財政面で行き詰まりがあるかもしれませんが、ほとんどの問題や困難はうまくやり過ごすことができるでしょう。7、8月は特に良い期間。同僚からサポートもあり、仕事は順調そうです。だからこそ自分の弱点の克服に努めることをおすすめします。ただその弱点を利用しようとしてくる第三者が現れるかもしれませんから、注意も必要です。9月2日から22日には昇進も期待できます。プライベートでなにか新しく始めてみたいことがあるなら良いタイミングです。9月22日から10月14日の間に少し仕事で気がかりなことがあるかもしれませんが、14日以降になればすべての仕事を良い形で終えることができ、リラックスできるでしょう。もし転職、そうでなくても職場内での役割、立場を変えたいと思っている人がいれば、うまく事が運びそうです。

太陽の動き　太陽の動きは8月16日まで良好な動きを見せています。好きなものを好きな人と好きな場所で食べられたり、あなたが期待している良い知らせを受け取ったり、旦那さんや奥さんとの良い時間を過ごせるでしょう。8月16日以降、あなたにいくつか小さな心配事が出てくるかもしれません。9月16日以降あなたは自分のライバルや競争相手より優位に立ち、そのことが今まで以上に大きな自信、信頼につながるでしょう。10月17日から11月16日は、仕事でもプライベートでも良い旅行ができるときです。仕事で行くのであれば金銭面で利益が得られたり、プライベートなら異性と行くと楽しみが倍増しそうです。11月16日から12月15日は少し健康面に気を遣いましょう。物事が思い通りにいかずストレスがたまるかも。12月中は特に胃腸の健康状態に注意しておきましょう。15日以降は行き詰まっていた物事にも進展がみられるでしょう。職場での評価も上がります

火星の動き　火星の動きはあまり好ましくありません。社会的な立場の証明に悩んでしまうことがあるかもしれません。予算と噛み合わない大きな出費もありそうです。9月10日から11月14日は悪い位置ではありませんが、注意が必要な位置です。自分のお財布事情に特に気をつけて。そして常に自分自身の怒りの感情にも注意を向けてお

きましょう。というのも、この期間あなたは近い存在の人から侮辱されたと感じてしまうかもしれませんが、その感情はあなたがその人に対してなにかしらの小さな恨みやわだかまりを抱えていることが原因になっているようです。この期間はこうした対立を避けるように行動するのが良いです。また、なにか罠にはまって身動きが取れないように感じたり、だまされている、とか浮気されている、とか疑心暗鬼になってしまったり、全体的に少し精神が不安定になってしまう時期です。

水星の動き　水星はあなたにとって好ましい動きをしています。あなたの内なる知性があなたをうまい具合に動かしてくれるのです。精神活動が素早くスムーズに行なえる上に、友だちもあなたを助けてくれるはずです。しかし、あなたの弱点をうまく利用しようとする人には警戒しておきましょう。8月2日から17日の間に経済的な利益を得るチャンスがありそうです。家族のサポートもありそうなので、頑張ってチャンスをモノにしましょう！　もし職を失って新しい仕事を探している人がいれば8月17日から11月9日の間には新しい仕事を得られるので、少し気持ちも落ち着くはずです。

木星の動き　木星の動きはあなたを大きく後押ししてくれるでしょう。仕事に対するエネルギーが湧き、精神面も上がり調子で、すべてにおいて努力が苦にならない時期です。滞っていた仕事や作業も終わりを迎えます。また小さな障害を克服することもできるでしょう。11月20日から12月31日の間は仕事を変えたり、新しいビジネスを始めるのに良い時期です。ご両親もあなたをサポートしてくれるでしょう。外科手術の予定がある人はうまくいきそうです。お子さんを望むご家族は良いタイミングかも。

金星の動き　金星もこの期間はあなたを支えてくれる動きをします。上司や先輩など目上の人から評価され、精神的な満足感が得られます。あなたのコミュニケーション力が効果的に働き、周りの人たちがあなたを支えてくれるでしょう。あなたの意見にも耳を傾けてくれます。疎遠になっていた人と再会したり、新しい出会いもありそうです。この期間は自分の利益にならないと思うことはしないようにしてください。ただ、近しい友だちに関しては例外。自分は献身的になってあげているのに、彼らはあなたのことを考えてくれないと感じることがあるかもしれませんが、寛容な姿勢で相手を理解しようとしてあげてください。お互い様かもしれませんよ。一時的な困難に直面しても前向きに、強気で挑みましょう。

MESH RASHI（メシュ ラシ）
「A」「I」「E」「O」「L」「X」のイニシャルのあなたに。

土星の動き　土星もとても良い動きをします。この期間土星はあなたにとって傘のような役割を担ってくれます。他の好ましくない位置にある惑星からの悪い影響を弱めてくれています。

金運

全体的に良い期間です。支出に見合う収入があり、支出と収入のバランスをうまくコントロールできそうです。7月から9月23日には新しい冒険に挑戦してみると良いでしょう。9月23日以降は少し心配事が出てくるかもしれません。あなたの辛口な発言が経済的な損失を引き起こす原因になってしまうかも。9月23日から11月17日の間にはあなたには必要以上の費用はないということに留意して、無駄な出費を抑えるように心がけて。収入は確実にありますが、同時に支出の計算もきちんとしなければなりませんよ。この期間、経済面で大きな問題を抱えることはありませんが、予定にない支出でときどき小さな問題ぐらいは起きることがあるかもしれません。

女性に向けて

今の社会的な評価が維持される期間になるでしょう。精力的に働きますが、努力がそれに見合う結果に結びつかないと感じることがあるかもしれません。精神的な負担も大きくなります。旦那さんや、もしくは友だちがあなたに対して必要以上に精神的なプレッシャーや大きな期待をかけてくるかもしれません。気に病むこともありそうなので、そんなときは少し現実逃避して、心行くまで旅行をして楽しんでみるのも良いかもしれません。職場の人たちはあなたに寛容ですよ。8月1日から9月1日の間にはなにか誤解されてしまうような出来事が起こりそうです、気をつけてください。しかしいずれの困難もあなた自身の強い精神力で乗り越えることができるでしょう。この期間、あなたは周りの人を喜ばせようと頑張りすぎてしまいがちです。あまり気負わないで。その一方であなたの人生に関わるような、新しい出会いのチャンスもあります。この時期のあなたは怒りを避けること、怒りに任せて衝動的な決定をしないことが良い流れをつくります。

学生に向けて

とても良い期間です。順調に成長し、勉学を楽しむことができます。8月1日から9

MESH RASHI（メシュ ラシ）
「A」「I」「E」「O」「L」「X」のイニシャルのあなたに。

月28日までの間、あなたにはさまざまな誘惑があるかもしれませんが、目指すゴールに向かってよそ見せずまっすぐ突き進むことを心がけて。悪い友だちとの付き合いや噂話になるような浮ついた行動は避けましょう。また長期間にわたるようなけんかや口論、不必要な衝突とも距離を置いて。この期間は特に年上の人、目上の人、先生たちに対して敬意を示して、決して傲慢になってはいけません。

55歳以上の人に向けて

今まで以上に健康に気を遣ってください。社会的な評判は良いものをもらえますし、何か目標がある人は達成も望めます。旅行をすれば予定通りの楽しいものになり、公私ともに順調です。ただ食生活だけは十分注意してください。胃の調子が悪くなったり、また関節の痛みなどにも悩まされるかもしれません。常に体のどこかしらに痛みを抱えてしまう期間です。しかし病院などで適切な処置を受ければ、深刻化することはありません。もしなにか資産を手放そうかと考えているならこの時期はチャンスです。9月23日以降は少し用心してください、お金関係でだまされたり、プレッシャーを与えられたり、ハラスメントを受けるような可能性があります。

MESH RASHI（メシュ ラシ）
「A」「I」「E」「O」「L」「X」のイニシャルのあなたに。

メシュ ラシのあなたの覚えておきたい重要な日

良い仕事ができる、収入アップが期待できる日

7/2,3,8,9,10　8/5,6　9/1,2　10/28,29　11/15,16,29,30　12/13,14

職場での評価が上がる、勝負事がうまくいく、運試しが強い日

7/29,30　8/10,11,21,22,30,31　9/13,14,17,18,24,25
10/19,20,23,24　11/1,19,20,21　12/17,18,24,25,26

恋愛力がアップする日

8/23,24　9/11,12,15,16,19,20　10/8,9,10　11/27,28　12/6,7,8

疲労、怠惰、怒り、衝動的な振る舞い、
精神的ストレス、不安、誤解、侮辱など負の感情に囚われる日

7/1,4,5,6,7,11,12,21,22,27,28　8/2,3,4,17,18
9/9,10,28,29,30　10/6,7,17,18,25,26,27
11/13,14,17,18,22,22　12/1,4,5,11,12,27,28,31

事故や怪我、障害に気をつけるべき、
健康に問題がある日、旅行がうまくいかない日

7/16,17,18,19,31　8/1,12,13,14,15,16,25,26,27,28,29
9/21,22,23,26,27　10/15,16　11/2,3,4,5,6,11,12
12/15,16,19,20,21,29,30

不必要な出費や損害がある日

9/6,7,8　10/3,4,5　11/7,8　12/9,10

VRISHABH RASHI《ヴリシャバ ラシ》

「B」「U」「W」「V」からはじまるイニシャルのあなたへ

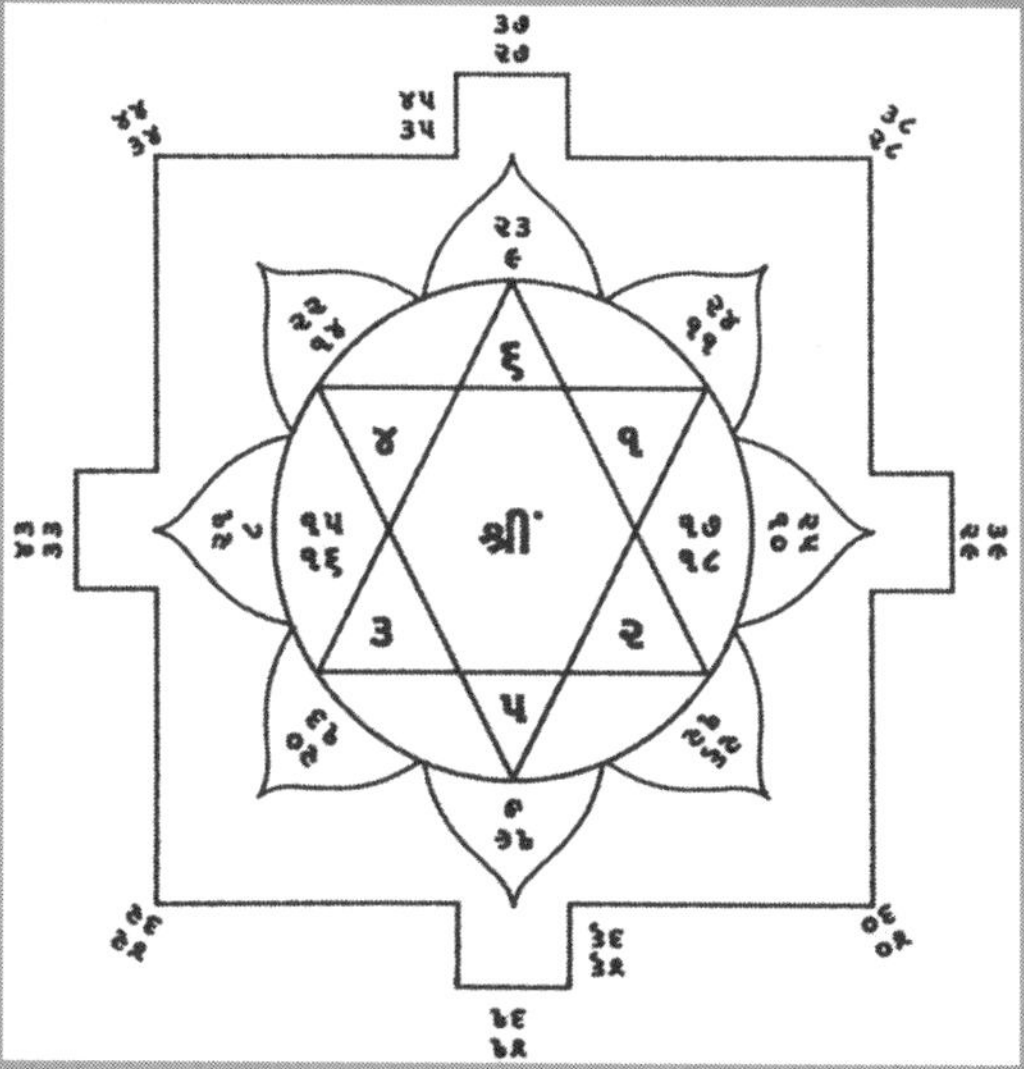

マントラ

ॐ शुम शुक्राय नमः।

オーム シュウブウ シュクラァヤ ナマハ

ヴリシャバ ラシを司るLAXIM（ラクシュミ神）について。

ラクシュミはお金の女神。比類なき美と健康の女神とも言われます。お金があり、美と健康がある、なんとも豊かな女神なのです。結果的には、この世の喜びと物質の女神。なんと、派手な女神さまでしょう。さらには海の女神と呼ばれています。それが転じて、彼女の中に海のような深さが備わっているとも。古代インドの聖書では、彼女は宇宙を飼育するヴィシュヌ神の妻であると信じられているようです。ロータスがラクシュミ神を運ぶと言われています。

VRISHABH RASHI（ヴリシャバ　ラシ）
「B」「U」「W」「V」ではじまるイニシャルのあなたに。

ヴリシャバ　ラシの基本性格と運勢

一途な想いが運を呼ぶ、マイペースで進むのが吉。

ヴリシャバ　ラシを司るのはラクシュミ神です。この神はお金の女神です。また、美と健康の神でもあります。深い愛情があり、その愛情は広く全体にわたっています。そのため争いを好みません。争いごとの嫌いなあなたは普段から人との対立は少ないようです。ですが、これは人に意見を合わせるのではなく、むしろ自分の意見に固執することのほうが多いようです。生来の平和主義な性格もあって、自分の意見を押し付けることもないので争いにならないわけです。人に助言を求めることもほとんどありません。とにかくマイペース。仕事はゆっくりとこなすとても勤勉なタイプ。マイペースですが、簡単に友だちをつくれますし、そのときどきにあった適切な振る舞いもできます。自信家である一面もあり、自分の行動はすべて適切な振る舞いと信じています。古い伝統や禁忌を重んじる面もありますが、格式張っているのではありません。あなたはいつでもどこでも楽しむことができます。怒りをあらわにすることは滅多にありません。あなたは音楽と宝石、美しい服を愛しています。

この部屋のあなたは並外れた忍耐力を持っています。じっとしていることが苦ではないのです。引越しを好まなかったり、ひとつの会社でじっくりと仕事に従事する、などに現れたりします。一途な思いもあなたの特長です。恋をするときやファンになった芸能人や尊敬すべき人を熱狂的に一途に思い続けるようですね。あなたは富や高い水準の暮らしを好み、それを実現しようとします。豊かな暮らしをできる人は少なくありません。あなたは若いときにはたくさん苦労します。けれども人生の後半、中年期ごろから徐々に贅沢な暮らしを得ていく人が多いです。意識を高くもって家庭を養っていきます。御両親に従う素直さも持ち合わせています。旅行好きで、自由に動くことも好きです。そうした旅先では買い物や良いものを見つけ出すセンスがあります。どんな環境にも簡単に適応し、その状況を楽しみ、その状況で幸せになれるのも特長です。

この部屋のキーワードは「愛情」「伝統」「勤勉」「自信」「臨機応変」などです。

VRISHABH RASHI（ヴリシャバ　ラシ）
「B」「U」「W」「V」ではじまるイニシャルのあなたに。

ヴリシャバ ラシ　２０２０年下半期の運勢

新しい出会い、新天地が未来を紡ぐ。

良いことも悪いことも経験する下半期になるでしょう。まず、運気が上がります。7月15日から9月15日はとても良い時期です。目標を達成したり、仕事をタイムリーに終わらせられます。旅行をすれば実りのあるものになるでしょう。新しい資産の購入を検討しても良いかもしれません。恋人や大切な人に出会い、良い時間を過ごすことができる期間でもあります。惑星は、あなたは収入も社会的な地位も今まで以上のものを手にすることができそうだという動きを示しています。引越しや新しい事務所を持つのも良いかもしれません。新しい出会いがあり、その人たちから受けた影響はきっと良い結果をもたらすでしょう。あなたの話し方や主張の仕方が効果的に働く期間でもあります。一転、9月15日以降は何をしてもやり方がうまくいかない状態に陥ってしまうかもしれません。なにか目的を達成したいのに間違った方法を繰り返してしまうこともあるでしょう。仕事の上司や同僚やクライアントから厳しい言葉を頂くことも。ときには周りの人が優しくないと感じたり、あなたの目的や行動の意図を理解してくれないことがあるかもしれませんが、この状況を恐れることはありません。解決方法は正しいコミュニケーションです。オープンな心と、前向きな態度で接してみてください。ギャンブルや宝くじなどでもうまくいかずお金を失ってしまいそうです。また奥さん、旦那さんやお子さんなど身近な家族の健康に気をつけてあげましょう。あなた自身の食生活にも気をつけなければいけません。信仰心のある人は永久的に強くなっていきます。

太陽の動き　太陽はあなたにとって良い結果と悪い結果の両方をもたらすようです。良い結果として、あらかじめ決めておいたゴールを達成できるでしょう。計画も正確に実行できます。健康な生活を送れますし、停滞していた物事にも道が見えてきて、進展がありそうです。お子さんを授かる場合もあるかもしれません。資産購入を考えている人はグッドタイミングです。別荘を借りるのも良いかも。仕事に対する努力、収入を増やすための努力も報われます。職場の人たちがきちんと評価してくれます。予定外の収入もあるかも。仕事の障害も乗り越えられてゴールが見えてきます。親しい人との間で誤解が生じても解決できます。夫婦仲は誠実で、家族の中にも調和があるでしょう。周りの人はあなたの敬意を表してくれるでしょう。

VRISHABH RASHI（ヴリシャバ　ラシ）
「B」「U」「W」「V」ではじまるイニシャルのあなたに。

火星の動き　火星はとても良い動きをします。予期せぬ収入を得るチャンスがあり、お金に不自由することはありませんから、ギャンブルや宝くじはやめておきましょう。人と会うのが楽しく、周りの人たちとの関係はより良好になりそうです。旦那さんや奥さん、お子さんの健康に気を配ってあげてください。あなた自身は古い病気があるなら良い治療が受けられます。求職中の人は良い仕事に出会えます。新しいビジネスを始めるにも良いタイミングです。

水星の動き　水星の動きも良好です。恋人や親しい人から金銭的な恩恵を受けることがあります。親しい人に限らず今ある人間関係がより深まったりもします。あなたの人生に関わってくるような新しい出会いのチャンスもありそう。こうした出会いの数々はあなたの精神面をより健康にしてくれます。職場での昇進も望めます。7月1日から8月2日、8月17日から9月22日、10月14日から11月11日はあなたの話し方や物事を見る視点が収入を生み出すこともあるでしょう。旅行が有意義なものになりますよ。パーティーなどの集まりも楽しいでしょう。競争でも勝利を掴めます。

木星の動き　この半年間、木星は好ましい動きをしています。貯金が減ってしまうことがあるかもしれません。節約も必要ですが、旅行は例外です。とても有意義なものになりますから、お金を惜しまず積極的に行って良いでしょう。他人の意見で傷ついてしまうような出来事があるかもしれません。しかし、全体としてこの時期の木星はあなたに成功や成長、進歩をもたらしてくれます。仕事を探している人や、新しい仕事を始めたいと思っている人はきっと良い仕事、新しい仕事に巡り会えるでしょう。そこで新しく出会った人たちはどんなときも支えてくれるはずです。意見も尊重してくれるでしょう。精神世界に目を向けると良いですよ。自問自答が効果的です。10月から12月の間は自分勝手なやり方が目立ちます。目的達成のために必死になりすぎた結果、物事の正誤が見えなくなっているのかもしれません。

金星の動き　金星もとても有益な動きが見られます。仕事をしている人にとって重要な星でもあります。8月1日から9月25日、9月28日から10月23日、11月18日から12月24日は仕事に良い進歩が見られます。この期間に掲げた目標はしっかりとこの期間中に達成できそうです。また部下から尊敬のまなざしも集めそうですよ。周りの人からプレゼントやお金を頂く機会がありそう。あなたの周りの人があなたとの親交を楽

VRISHABH RASHI（ヴリシャバ　ラシ）
「B」「U」「W」「V」ではじまるイニシャルのあなたに。

しんでいる証拠です。思い切って新しい乗り物を買うと良いかも。今手元にあるものでは満足できないようですから、少し高価なものにお金を使って、贅沢してみましょう。ときどき、仕事や作業が遅れるなど、仕事関係で心配事が起こりそうです。誰かに侮辱されるようなこともあるかもしれませんが、できるだけ精神的なストレスは避けておきたい時期です。同僚の前で弱みを曝してしまう出来事があるかもしれませんが、あまり気にしないで。お子さんの健康状態に注意してあげて。

土星の動き　土星は少し思わしくない動きをします。旅行の間になにか貴重品や大切なものを盗まれたり、失くしてしまう恐れがあります。高価でなくてもお気に入りのものを持って行くと残念なことになるかもしれません。気をつけましょう。周りの人があなたを理解してくれない、とか、支えてくれない、と孤独に感じてしまうことがあるかもしれません。このことが影響してどれだけ努力しても期待した結果が得られなかったり、自分ではどうすることもできないという無力感を感じることも。こんな状況でも直情的な振る舞いは良くありません。怒りに駆られてよく考えずに発言してしまわないように。また軽率な判断もストレスにつながるでしょう。上司やクライアントに喜んでもらうことを心がけると良いでしょう。

金運

この半年間の金運は木星、水星、土星の動きに委ねられるようです。7月1日から8月2日、8月17日から9月22日、10月14日から11月3日、この間、収入は上がりますが、9月以降は出費の増加が少し気になるかもしれません。また事業の拡大や、ローンを組まざるをえない、といったお金が足りないと感じる状況があるかもしれません。自分の出費をしっかり計算しておく必要があります。きちんと管理していれば、全体として、経済的な問題に悩まされることはないでしょう。

女性に向けて

全体的に良い運勢です。注意すべきことがあるとすれば、怒りや衝動といった感情です。10月と12月末は特に気をつけてください。不必要な出費は避けましょう。9、10、11月あたりに誰かに騙されたりして、精神的な圧力を感じることがあるかもしれません。誰かから、またはなにかしらの不正行為、騙されることや浮気などから来る感情的なストレスが何度かあるかもしれません。

VRISHABH RASHI（ヴリシャバ　ラシ）
「B」「U」「W」「V」ではじまるイニシャルのあなたに。

学生に向けて

大きな成功がもたらされる期間になるでしょう。ただし根拠のない自信は禁物です。さもなければ締め切りに間に合わないなど、なにかしらよろしくない結果になってしまうでしょう。そこに気をつけてさえいれば、あなたが望むように勉強がはかどり、しっかりと成功を収めることができます。あなたへの尊敬の念は深まります。あなたの記憶力、学習意欲があなたを助けます。

55歳以上の人に向けて

全体的にとても良い期間です。体温の管理にはいつも以上に用心してください。8月18日から10月4日の間、心臓病、腎臓に問題を抱えている方は特に健康に気を遣う必要があります。

VRISHABH RASHI（ヴリシャバ　ラシ）
「B」「U」「W」「V」ではじまるイニシャルのあなたに。

ヴリシャバ ラシのあなたの覚えておきたい重要な日

良い仕事ができる、収入アップが期待できる日

7/1,4,5,16,17,27,28,31　8/1,5,6,13,14,27,28,29
9/9,10,21,22,23　11/9,19,29,30　12/1,4,5,6,7,8,27,28,31

職場での評価が上がる、勝負事がうまくいく、運試しが強い日

7/8,9,10　8/2,3,4　9/24,25
10/23,24,25,26,27　11/13,14,19,20,21,22,23

恋愛力がアップする日

10/19,20　11/15,16　12/13,14

疲労、怠惰、怒り、衝動的な振る舞い、精神的ストレス、不安、誤解、侮辱など負の感情に囚われる日

7/6,7,13,14,15,25,26　8/1,7,8,9,10,11,25,26,30,31
9/3,4,5,15,16,17,18,19,20,28,29,30　10/3,4,5,6,7,17,18,30,31
11/1,2,3,4,11,12,27,28　12/11,12,17,18,24,25,26

事故や怪我、障害に気をつけるべき、健康に問題がある日、旅行がうまくいかない日

7/2,3,18,19,20,21,22,23,24,29,30　8/15,16,17,18,19,20,23,24
9/1,2,11,12,13,14,26,27　10/2,3,9,10,15,16,22,23

不必要な出費や損害がある日

7/11,12　8/21,22　10/8,9,10,15,16,28,29　11/5,6　12/29,30

MITHUN《ミトゥン》 RASHI《ラシ》

「K」「Q」ではじまるイニシャルのあなたへ

マントラ

ॐ क्लीम् कृष्णाय नमः।

オーム　クゥリィム クリシュナヤ ナマハ

ミトゥン ラシを司るVISHNU（ヴィシュヌ神）について。

ヴィシュヌ神は宇宙の飼育者。ヴィシュヌ神は60もの名前をもち、10の化身もいたとされます。そのひとつがミトゥーヌ神。インドの聖書によるとブラフマー神が宇宙を創造し、ヴィシュヌ神が宇宙を管理し、守る存在でした。知性と確かな知識の神。ヒンドゥー教において、すべての現象は人間個人の想像を超えたところで起こることであり、ヴィシュヌ神は人々の想像をかき立てる神と言われます。ヴィシュヌ神はガネーシャ（象）に運ばれると言われています。

ミトゥン ラシの基本性格と運勢

先見の明を発揮して幸運を！

ミトゥン ラシを司るのはヴィシュヌ神です。ヴィシュヌ神は人の想像を掻き立てる神と言われます。知的で頭の回転も早く、自分自身の個性を表現することに長けた、魅力溢れる神。万能で想像力豊かで、思いやりがあって、順応性があり、誰からも好かれる、この神の力はあなたの潜在能力なのです。つまり、あなたは高い人間力を備えています。特筆すべき点はまず仕事が早いということ。仕事や作業に関して物覚えが早く、それがあなたを成功に導くことでしょう。あなたは法の分野やエンジニアや建築関係、アパレル関係などに向いているようです。歩きながら学ぶと言えるほど、学習能力にも長けています。また、この部屋の人は性に対して情熱的で、大家族を持つ人も多いでしょう。

あなたは持続力もあり、疲れを知らず黙々と働くことができますが、それが災いして体に負担がかかっていることも忘れがちなのでご注意ください。柔らかな口調で話術に長けており、良い演説ができたり、巧みな表現、言い回しも使いこなします。外国語が堪能な人も多いようです。人付き合いにおいては会話の中で自分の論理を発展させるのが得意。変化を好み、先見の明を持っていることが会話にも現れるようです。短気な人が多いのもこの部屋の特徴。ですが、簡単に冷静さを取り戻すことをできる柔軟さも持ち合わせています。困ったことがあったときは家族や親戚、友だちに助けてもらうと良いでしょう。生まれつきユーモアに富んだ人です。また信心深いという側面もあります。

この部屋のキーワードは「知性」「賢明」「魅力」「言語力」「情熱」「先見の明」などです。

ミトゥン ラシ　2020年下半期の運勢

人間関係が開運の鍵。ゴシップ的な噂に注意。

この半年間、あなたは現実社会への戸惑いや迷いを感じるかもしれません。そのおかげで自分の内側に秘められている潜在意識を成長させることができるでしょう。仕事に関してはきちんとした進歩が見られます。もし転職を考えている人がいるなら7月1日から16日、9月16日から10月16日、または11月16日から12月14日の間が良いでしょう。新しい環境にすぐに適応できる時期です。しかし心身ともに少し弱い期間になりそうなので気をつけてください。メンタル面で、自分の内側に閉じこもってくよくよと考えすぎてしまうことがあるかもしれません。かつての仕事でなにか悪いことを言われるのでは…と不安になることがあるかもしれませんが、心配無用です。また、他人があなたの仕事を自分の手柄にしようとしている、という不安に駆られることがあるかもしれません。気にしすぎは良くないです。もっと自分を愛してあげて。この期間、家族の中で、自分の意見が聞き入れてもらえないと感じてしまうことや、家族や友だちに対してストレスを感じてしまうことがあるかもしれません。しかしこの問題は忍耐強く、落ち着いた態度で対応すれば克服できます。もしあなたが長年抱えている病気などがあればこの半年は積極的に治療することをおすすめします。いろいろと言いましたが、9月23日までは総じて良い日々を過ごせると出ています。あなたの夢を実現させるためのプランを練ってみても良いですよ。実現へのアイデアや道筋への閃きがいつも以上にありそうです。新しい仕事や新しい人間関係にもうまく適応できますし、今ある環境の中でも周りからリスペクトされそうです。

太陽の動き この期間の太陽の動きはおおむね良いことをもたらします。転職を考えている人にはとても良いタイミングです。旅行も有益なものになりそうです。機会を増やしてみても良いでしょう。何に対してもやる気がみなぎる時期です。恋人や親友といったこれから先深く長い関係を築いていくような大切な出会いもあるでしょう。ライバル的な存在がいたり、勝負事が不可欠な人はそういった場面でも良い結果が得られそう。知識が伸び、勇敢に物事に向かえるので、この半年のあなたはかなり好調ですね。家族の中に年配の女性はいますか？　その人があなたにとってキーパーソンになってくれるかも。お母さまかもしれませんし、お祖母さまかもしれませんが、その方の健康状態が良くなって、きっとあなたを支えてくれるでしょう。若干ですが悪いことも。胃腸の調子に気をつけて。また、7月15日から8月15日の間と、12月15日

MITHUN RASHI（ミトゥン ラシ）
「K」「Q」のイニシャルのあなたに。

から31日には少し気がかりなことがあるでしょう。気に留めておいてください。

火星の動き 火星の動きはあなたにとってとても良い兆候。職場での評価は上々、尊敬の念を集めますし、抱えている仕事も順調に終わりそう。さらに収入アップも見込めます。もし新しい家を探している人がいれば素敵な物件に出会えます。9月22日から10月4日は健康に注意してください。注意すべきは予定外の出費です。

水星の動き 水星の動きも良好で、あなたにお金と幸せを運んできてくれます。あなたの近くにいる人、大切な人があなたを助けてくれるでしょう。ただし8月中、あなたの噂を広める人には注意してください。あなたのコミュニケーション能力があなた自身を助けます。仕事を変えるにも良い時期です。今の仕事に不満がある人は思い切って動くのも良いでしょう。新しいチャンスがありそうです。アートや音楽があなたの良い刺激になります。忙しさで睡眠時間が減るかもしれません。ご注意を。

木星の動き　木星もあなたを支える良い動きをしています。この半年、人間関係がとても良い兆しです。最近疎遠になっていた人との関係がふいに戻ってくるということも。それが良い関係に転じるというような機会がありそうですから、気になる人に連絡を取ってみるのも良いかもしれません。今近い関係の友だちとも良い関係が続けられます。協力関係になって何かが始まる予感も。結婚を考えている人はこの半年の間にチャンスが訪れそうですよ。結婚ならずとも、なにかしらロマンチックな展開が待っているでしょう。既婚者の人でパートナーとの仲が少し気まずくなっている人も解決に向かうでしょう。他人と新しいことを始めてみるのも順調に進みそう。

金星の動き　金星の動きもとても良いです。この半年は少し贅沢品やファッションにお金をかけてみるのも良いかもしれません。それがあなたの幸せや満足感につながります。家族や兄弟もあなたに優しく、良い関係を保てるでしょう。大きなことを目指すあなたには追い風が吹きそうです。資金集めなど足場固めも順調に推移しそうです。

MITHUN RASHI（ミトゥン ラシ）
「K」「Q」のイニシャルのあなたに。

土星の動き　土星の動きは良くも悪くもあなたのやり方次第。この半年、あなたは今までのやり方を続けるほうが良いようです。他の星たちも総じてあなたに良い動きをしていますが、他の星や月が良くない動きをするときは、土星も良くない動きになるのが特徴です。この間注意して欲しいのが、あなたの上司や目上の人との間で誤解が生じること。これが原因になりそうです。その場しのぎでいい加減な約束をするなんてことのないように！　特に9月22日から10月4日は気をつけてください。

金運
とても好調なようです。ある程度の収入は望めます。仕事自体もうまくいきますし、本来の仕事をすることで別の仕事に良い影響や余分に収入を得るチャンスもあるかもしれません。株式市場やコミッションもうまくいきそうです。ビジネスマンはある程度まとまった金額を受け取れますよ。また資産運用がうまくいく時期です。売り買いともに良い結果がありそうです。そのためのお金も順調に集まるでしょう。ただ、投資は慎重さが肝心です。

女性に向けて

とても良い半年になります。恋人や旦那さんと良い日々が過ごせそうですね。恋人だけでなく、異性の友だちからの助けもあるでしょう。あなたは本来、人を見る目に長けており、この半年の間にその能力が伸びてきます。良い人と悪い人を直感で見極められるようになるのです。そのおかげもあって、今後たくさんの良い人に会い、その人たちから良い人生の教訓を学びます。結婚を望む人は積極的に話をして、新しい生活を始めると吉。9月13日から11月20日の間は自分の人生に対して具体的に行動することで精神的にも安定するでしょう。8月18日から9月5日、9月28日から10月20日、この期間はなにかしらの心配事が付きまとう時期になってしまいそう。上司から正当な評価をしてもらえないと感じることもあるかもしれません。こうした不満に焦らず、慎重に、落ち着いた態度で乗り切ることが大切です。たとえ誰の頼みごとでもこの期間は自分の貯金を貸したりしないように気をつけてください。

学生へ向けて

自分のパフォーマンス、成績を残す、どんな課題も自分の力でこなせるなど自分を証明する、そんな勝負の半年です。内に秘めたるあなた自身の強さこそがあなたを支えます。この期間、あなたの記憶力が発揮されます。それが功を奏して予想よりもずいぶん良い結果を残すことができるでしょう。注意すべき点は、友だちをしっかりと選ぶこと。そうすればこの半年間は成長と成功の半年になり、クラスメイトや先生からも一目置かれる存在になれるでしょう。ただし、なにかに依存、熱中することは避けましょう。

55歳以上の方へ向けて

9月23日から年末までのかなり長い期間、健康状態や生活環境に気をつける必要がありそうです。食生活やその他生活習慣にはいつも以上に気を配りましょう。それからお金についても用心してください。投資に失敗したり、なんらかの形でお金を失う可能性があるので細心の注意を払ってください。ですが、今お持ちの資産はこの期間価値が上がると思われます。それから、若い頃の友だちと再会できる機会があるかもしれません。その出会いがあなたに幸せをもたらすでしょう。

ミトゥン ラシのあなたの覚えておきたい重要な日

良い仕事ができる、収入アップが期待できる日

7/16,17,23,24　8/12,13,14　9/15,16,28,29,30
10/25,26,27　11/9,10,22,23,24,25,26　12/29,30

職場での評価が上がる、勝負事がうまくいく、運試しが強い日

7/11,12　8/2,3,4,7,8,9,15,16,25,26　9/3,4,5,21,22,23,26,27
10/6,7,13,14,15,16　11/2,3,4,29,30　12/1,6,7,8,9,10,22,23

恋愛力がアップする日

7/1,4,5,18,19,20,27,28　8/19,20,27,28,29　9/11,12
10/17,18,21,22　11/13,14,17,18　12/11,12,15,16,19,20,21

疲労、怠惰、怒り、衝動的な振る舞い、
精神的ストレス、不安、誤解、侮辱など負の感情に囚われる日

7/2,3,13,14,15,25,26,29,30,31　8/1,5,6,10,11,21,22,23,24
9/1,2,6,7,8,19,20,24,25　10/1,2,23,24,30,31
11/5,6,15,16,27,28　12/13,14,17,18,27,28

事故や怪我、障害に気をつけるべき、
健康に問題がある日、旅行がうまくいかない日

7/2,3,18,19,20,21,22,23,24,29,30　8/15,16,17,18,19,20,23,24
9/1,2,11,12,13,14,26,27　10/2,3,9,10,15,16,22,23

不必要な出費や損害がある日

7/11,12　8/21,22　10/8,9,10,15,16,28,29　11/5,6　12/29,30

KARKA《カルカ》 RASHI《ラシ》

「H」からはじまるイニシャルのあなたへ

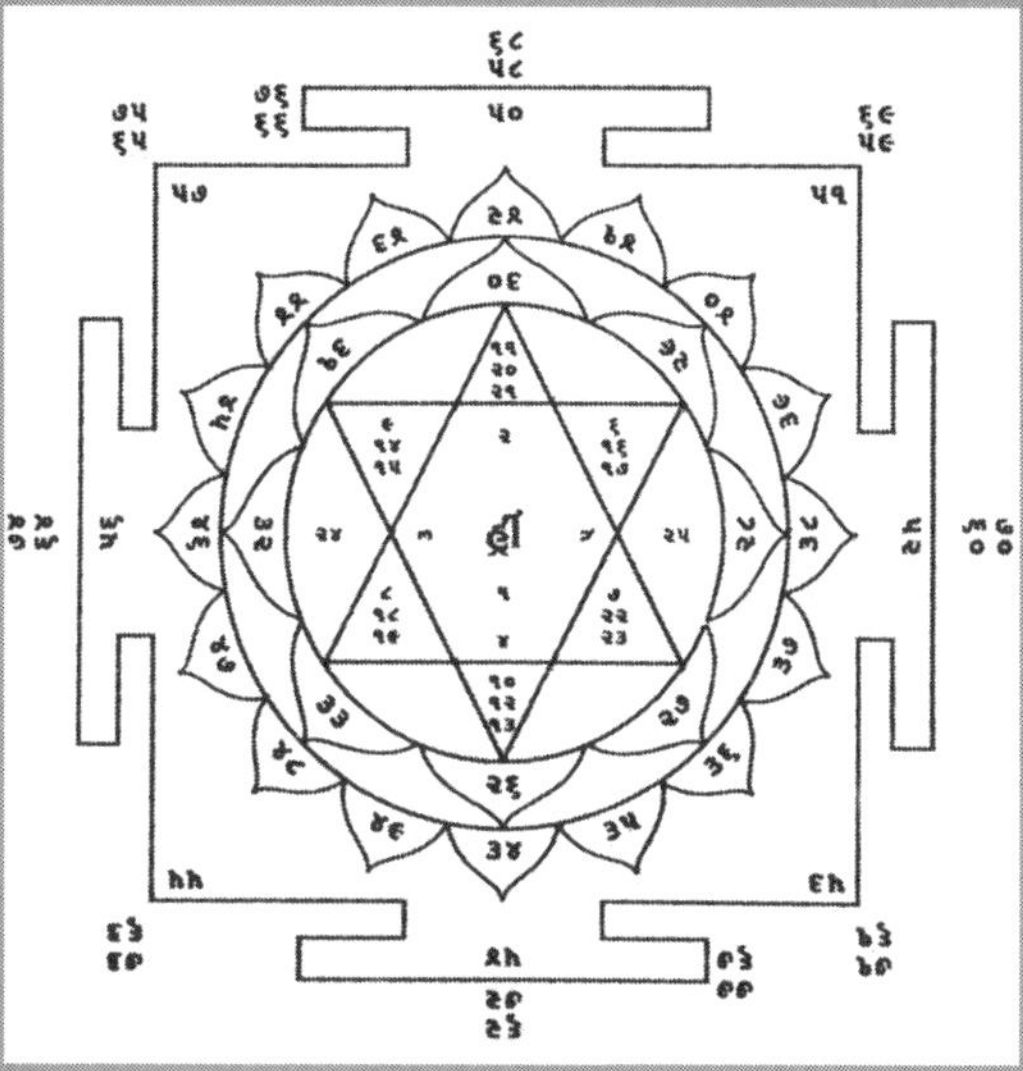

マントラ

ह्रिम सोमाय नमः।

ホゥリム ソゥマヤ ナマハ

カルカ ラシを司るSHIVA（シヴァ神）について。

シヴァ神は創造と破壊と再生の神。ヒンドゥー教の神々の中でも純粋でシンプルな神と言われます。精神の神でもあり、人に影響を与えたり、人を説得することがとても得意な神なのです。一度のウインクだけで宇宙全体を破壊することができる破壊神の一面もあります。また、破壊と再生という意味では革新の神でもあるのです。彼自身の純真な性質から、すべての人の幸運の神とされています。ヨーガ、瞑想、芸術の守護神とも。コブラがシヴァ神を運ぶと言われています。

カルカ ラシの基本性格と運勢

思い遣る心と直感が最大の武器！

カルカ ラシを司るのはシヴァ神です。この部屋のあなたはとても想像力が豊かな人です。周りに影響を与えたり、人の心を揺さぶったりという人の内側に向けて気持ちを届けることが得意です。あなた自身はセンシティブであり、保守的で内向的な一面を持っています。ただ、センシティブな心が研ぎ澄まされると、正直にはっきりと荒っぽい発言につながることもあるので気をつけて。あなたは本来慈しみの心や思いやりがあり、精神的な活動にも力を注ぎます。この部屋の人は親からの財産や恩恵に恵まれる人が多く、豊かな生活を好みます。しかし、生まれ育った場所を出て暮す傾向もあります。あなたの繊細さは自然を好みます。水に親しみ、深く自然の景観を好みます。旅行や近くの自然を散策することがあなたの心を癒してくれるのです。

あなたは独創的で豊かな想像力を持っています。直感が働き、その直感が想像をかき立てます。こうした直感のある人はときに傷つきやすい面もあるようです。繊細さは寂しい気持ちを増幅させます。それで異性を愛しやすく、ちょっとした行き違いなどで、寂しさから二股をしてしまうことも？　また、頑固であり、感情を表に出さないタイプでもあります。それが原因で一見気が利かないと勘違いされることもしばしば。美術、映画や音楽、お芝居など幅広く芸術性や美的センスを気にします。そのためか、外見にこだわりがあります。少し体が弱いところがあって、病気がちです。特に骨、肺や気管支には要注意。

この部屋のキーワードは「影響力」「センシティブ」「自然」「思いやり」「頑固」などです。

カルカ ラシ　２０２０年下半期の運勢
良好な人間関係が運を強化！！

この半年は地道に物事を進める期間です。7月から9月の間は物事がうまく進まない、ゴールに順調に向かっている気がしない、など、進んでいるにしても遅いと感じてしまうことがあるでしょう。また周りからの理解を得られていないと感じることもあるかもしれません。しかしそんなときでも、大切な人にだけは隠し事をしないで。誤解を招く原因になります。もちろん嘘もダメですよ。約束を守るために大きな努力をしてください。7月1日から8月31日は健康にも注意です。9月14日から11月20日も職場で小さな障害にぶつかりそうです。努力が評価されないと感じたり、自分は悪くないのに怒られたりすることもあるかもしれません。そのネガティブな評価が精神的ストレスを引き起こすことも。気にしなくても良い他人の声に傷つくことも。この不安定な期間、あなたは恋をしたり、恋愛関係によって感情が安定します。この期間以外は仕事に楽しんで取り組めるでしょう。なにか順位付けの競争がある人はそのランキングが上がります。昇進のチャンスでもあります。あなたの才能を発揮し、披露する機会は十分にあるので、頑張ってみてください。年上の家族の健康にはいつも以上に気を配ってあげるべきです。総合的に言えば、そこまで悪い期間ではありません、ただ精神的な負担が大きい半年ではあるでしょう。

太陽の動き　太陽はあなたにとって好調な動きをしています。太陽はあなたに勇気や精神的な安定を与えます。引越しがあるかもしれません。古い友だちと再会して良い時間を過ごせるでしょう。収入も安定します。未解決のまま抱えている問題がある人はあなたにとって都合の良い形で解決できるでしょう。健康状態も右肩上がりです。お出かけも楽しいでしょう。7月1日から9月15日、11月16日から12月14日この期間は職場関係の問題に悩まされることがありそうですが、今のあなたのやり方でそのまま続けてみてください。貯金を衝動的に浪費してしまうことがあるかもしれません。ゴシップになるような行動にも気をつけて。

火星の動き　火星もあなたにとって良好に動いています。10月4日から12月31日は特に良いです。心穏やかな日々が続きますし、約束も果たされます。ただし、友だち選びは慎重にしてくださいね。7月1日から9月10日は年上の家族の健康に十分気を配ってあげてください。あなた自身も旅行の際は怪我に注意です。出費が増えたり、

KARKA RASHI（カルカ ラシ）
「H」ではじまるイニシャルのあなたに。

上司やクライアントから厳しい評価を受けたりする、または身に覚えのない非難を受けてしまうこともありそうです。それが端を発して退職を余儀なくされる可能性もありえます。これを避けるためには必要以上に気にしすぎないで、リラックスです。旦那さんや奥さん、仕事のパートナーとの衝突も良くありません。

水星の動き　水星もあなたをしっかりと支えてくれるでしょう。8月17日から9月21日、10月14日から11月2日、12月17日から31日は十分な収入を得ることができます。家族や友だちが支援してくれるでしょう。同僚の協力もありそうです。そのおかげもあってあなた自身の目標を達成できたり、良い変化が訪れることも。職場での昇進も狙えそうです。大切にしてほしいのは、自分自身との対話。自分が何をやりたいのか、どうしたいのかをしっかり理解することです。そして、自分の思いを周りに向けて意思表示することも忘れずに。これを疎かにすると他人とのディスコミュニケーションが生じます。家族との争いはできるだけ回避して。健康には十分注意してください。チャリティ活動やボランティア活動をすることであなたは穏やかな心を保つことができます。自由な時間があるときは積極的に参加してみましょう。

木星の動き　あなたに良い結果をもたらす動きをしています。あなたの周りであなたに対する尊敬の念が高まります。男女の別なく好きな人と楽しい時間を過ごせます。関係が悪くなっていた人、なんとなく疎遠になっていた人との関係を修復することもできそうです。望んでいる人にはお子さんを授かる場合もあるかもしれません。7月1日から9月13日、11月21日から12月31日は仕事、作業が順調に終わります。健康問題を抱える人は治療法が見つかるでしょう。原因は人それぞれですが、少し体重が増えるかも。9月14日から12月20日は楽しくうきうきと生活することを心がけて。たとえば、旦那さん、奥さんに積極的に話しかけてみましょう。それを心がけるだけでも良い変化が訪れるかもしれません。

金星の動き　金星は良いことも悪いこともありそうな動きをしています。家族とは良い時間を過ごせるでしょう。誰かが素敵なプレゼントをくれるかも。また、ライバルがいたり、勝負事がある人は勝利を手にできそうですね。また周りの人たちはあなたの話し方や、問題解決の手法を称賛するでしょう。部下や後輩も献身的にあなたを支え、尊敬もするでしょう。まとまったお金が返ってくる機会があるかも。結婚を望む人がいれば、素敵なパートナーにも出会える、人間関係がうまくいく半年です。

KARKA RASHI（カルカ ラシ）
「H」ではじまるイニシャルのあなたに。

土星の動き　土星も順調な動きをしています。旦那さんと奥さんとは良い時間を過ごせます。体は丈夫でとても活発。素早く行動しても、正しい決断ができます。長く抱えている病気や体の問題、特に腎臓や陰部の病気が良くなるでしょう。障害もすべて乗り越えられ、気持ち良く過ごせるでしょう。話し方、口調が原因で少し問題を起こしてしまうかも。特に上司や目上の人に対して発言するときは気をつけておきましょう。恩をあだで返される、とかだまされるような出来事にも注意。あなたの過去の過ちが自分の身に返ってきているのかもしれませんよ。

金運

とてもいいです。収入が安定します。いろんな計画が思い通りに進み、長い間いつか手に入れようと狙っていたものも購入できるでしょう。12月11日から24日の間には予定外の出費があるかもしれませんから、気をつけておくべきです。非倫理的な人間関係が出費増加の原因かも。ですが、もしまとまったお金が出ていくことがあってもその分のリカバーはあるようです。ご安心を。新しい収入源が見つかるかもしれません。大きな流れとして経済状況は右肩上がりのようです。

女性に向けて

とても感情が激しくなりそうです。7月1日から9月23日の間は盲目的に人を信じられなくなってしまいます。たくさんの新しい出会いがありますが、良くない出会いもやや多そうです。気をつけてください。職場での評価は上がり、尊敬され、社会的な地位も上がり、同時に収入も上がるでしょう。あなたの親しい人、大切な人があなたを支えてくれます。なにか問題を抱えていても友だちの手助けにより解決に向かいそうです。プラスマイナスありますが、良い時期だと言えるでしょう。

学生に向けて

良い半年になりそうです。あなたの能力を披露、証明する機会に恵まれますが、その分、敵も増えそうです。たとえ小さくても友だちとの不必要な争いは避けましょう。異性の友だちとの関係があなたの学問の向上を妨げるかもしれません。ですが、友だちと過ごす時間は大切にしましょう。ちょっとした暴言が、人間関係を台無しにするかもしれません。ご注意を。

KARKA RASHI（カルカ ラシ）
「H」ではじまるイニシャルのあなたに。

55歳以上の方に向けて

特に健康状態の上がり下がりはないようです。特に7月1日から9月13日は調子が良いでしょう。しかし9月13日以降11月20日の間は、治った病気が再発したり、痛みが戻ってくるようなことがあるかもしれませんから、気をつけておいてください。なにか滞っていた作業、問題を抱えている人は良い方法が見つかり順調に進みそうです。また、長年挑戦したかったことを実現できるかもしれません。社会的な地位も上がりそうですし、家族も協力的ですよ。7月から9月の間は望まない形で他人に利用されるようなことがあると出ています。詐欺の被害に遭う可能性があります。しかし、これは十分に注意を払っていれば回避できますから、気をつけましょう。

KARKA RASHI（カルカ ラシ）
「H」ではじまるイニシャルのあなたに。

カルカ ラシのあなたの覚えておきたい重要な日

良い仕事ができる、収入アップが期待できる日

7/1,16,17,27,28　8/7,8,9,10,11,21,22
9/1,2,3,4,5,13,14,19,20,28,29,30　10/3,4,5,28,29
11/2,3,4,24,25,26,29,30　12/1,22,23,24,25,26

職場での評価が上がる、勝負事がうまくいく、運試しが強い日

7/2,3,11,12,13,14,15,21,22　8/12,13,14,15,21,22
9/6,7,8,11,12,17,18　10/6,7,17,18,21,22,25,26,27
11/13,14,17,18　12/11,12,15,16,29,30

恋愛力がアップする日

7/6,7　8/2,3,4,25,26　9/9,10,21,22,23,26,27
10/1,2,8,9,10　11/19,20,21　12/17,18,27,28

疲労、怠惰、怒り、衝動的な振る舞い、精神的ストレス、不安、誤解、侮辱など負の感情に囚われる日

7/4,5,18,19,20,29,30,31　8/1,15,16,30,31　9/15,16,24,25
10/11,12,19,20,23,24,30,31　11/5,6,7,8,9,10　12/13,14,19,20,21,31

事故や怪我、障害に気をつけるべき、健康に問題がある日、旅行がうまくいかない日

7/8,9,10,25,26　8/5,6,27,28,29
10/15,16　11/11,12,22,23　12/2,3,9,10

不必要な出費や損害がある日

7/23,24　8/19,20　10/13,14　11/1,15,16,27,28　12/13,14,31

SIMHA RASHI《シンハラシ》

「M」ではじまるイニシャルのあなたへ

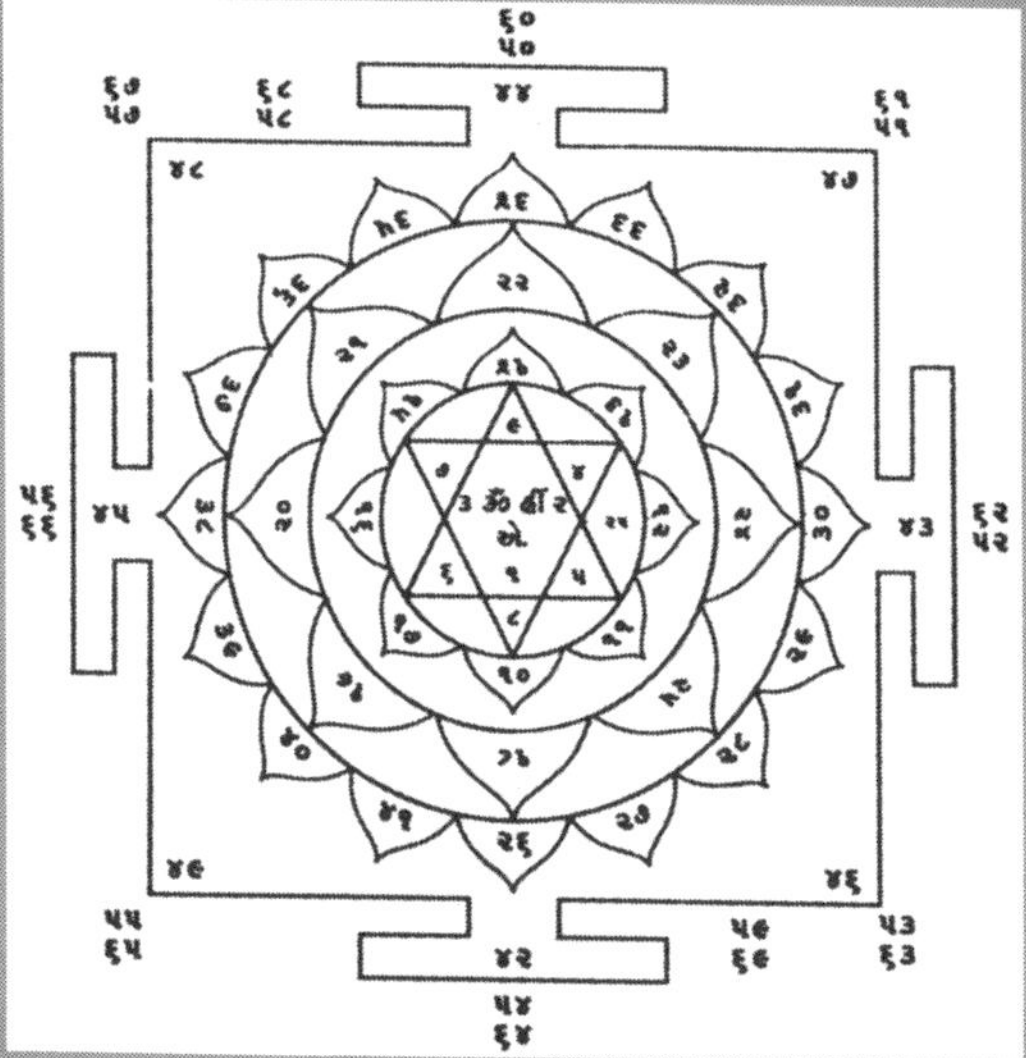

マントラ

ॐ घ्रुणी सूर्याय नमः

オーム デュルニ スゥリヤヤ ナマハ

シンハ ラシを司るGAYATRI（ガーヤトゥリー神）について。

ガーヤトゥリーは光の女神。あらゆる「闇の中にあるもの」に対して光を投げ、それらを闇の中から救い出し、光の道へと導いてくれるのです。宇宙の創造主ブラフマー神の妻であると言われており、すべての人に幸せと満足の恩恵を与えてくれます。また、政治と国家管理を司る神でもあり、政治に携わる人々は彼女を崇拝することでその分野での功績を挙げることができると信じられています。白鳥がガーヤトゥリー神を運ぶと言われています。

シンハ ラシの基本性格と運勢

光の神に守られし統率力を発揮して

シンハ ラシを司るのは光の女神ガーヤトゥリー神です。あらゆる「闇の中にあるもの」に対して光を投げ、それらを闇の中から救い出し、光の道へと導いてくれるのです。この部屋のあなたは生まれながらにしてリーダーシップを発揮する力があります。また、人を惹きつける魅力もあり、組織の上に立つのに適しているのです。あなたはどんなに小さな集まりでも全体をまとめようとします。その原動力はどんな困難にも立ち向かうという能力が本質的に備わっていることです。怒りっぽい面もありますが、同時にすぐに許せてしまう広い心も持っています。そして、支配力もある、所謂カリスマ気質なのです。加えて野心家で、政財界など大きなものの支配権を追い求めることもありそうです。

この部屋に属するあなたは野心家で独立心があります。一度決めたら貫くだけの強い意志も持っています。誇り高く、自己満足をしがちですが、自己満足のレベルが高い人が多いのです。理想が高いので、行動に結果が伴わないこともしばしばありますが、決して落ち込まない強いメンタリティがあなたを下支えしてくれます。信心深さなど、清らかな心も持ち合わせています。反面、上に立つ立場の人にありがちな疑り深く、嫉妬深いところもあるようです。特に自分より下の人たちに対して強気で荒っぽくなってしまうところがあり、威圧的になることもあるのでご注意を。丘や小山への身近な旅行が好きで冒険のように楽しみます。せっかちな面もあり、速い移動手段、乗り物が好みのようですね。

この部屋のキーワードは「光」「政治」「野心」「広い心」「人に幸せ」などです。

シンハ ラシ 2020年下半期の運勢
混乱に注意。恋愛面にも影響が？

この半年はあなたにとって進化の時期になるでしょう。あなたの道を妨げる障害が明らかになり、長年思い続けていた夢が叶いそうです。それでも立ち止まらず、叶った後もあなたは走り続けます。7月から9月は仕事も順調で昇進もあるかもしれません。転職を考えているなら、それも良いタイミングでしょう。重要な決断を迫られたときは落ち着いて、冷静に対処することを心がけて。いい加減な決定、自由すぎる行動、やり方は良くありません。後々体調不良や疲労困憊を招くかもしれません。衝動的な決定も後悔につながります。また、一時的な利益を得ようとせず、きちんとリスクも予測して、長い目で見た利益を優先してください。これは友人関係にも言えます。その場では楽しかったり、有益な関係でも、長い目で見ると良くないようです。道徳的で理性ある友だちを選べば、得することはなくても心は穏やかにいられるでしょう。あなたのお母さまとお子さんたちの健康に気を配ってあげてください。旦那さんや奥さんとの言い争いや口論は大問題に発展するかもしれないので、避けましょう。この時期、周りの人たちが自分を気遣ってくれないと感じてしまうかもしれません。実はあなた自身のエゴが大きくなってしまうことが原因のようです。自分勝手な言動に気をつけて。特に9月以降、職場では自分のエゴを出さないようにしてください。この期間、少しストレスを感じたり、目標達成が難しいと感じてしまうこともあるかもしれません。怠けたい気持ちが出てくる時期です。陽気で、快活でいることが大切です。さらにいつも以上の努力。それが目的達成や、夢を叶える原動力になるでしょう。11月17日から12月31日は出費を増やさないように心がけて。

太陽の動き この半年間は太陽の動きがとても重要になるでしょう。7月16日から31日、10月17日から11月15日、11月20日から12月31日、この期間はとても良い結果をもたらしてくれます。経済面で良いことがありそう。年上の友だちがあなたを手助けしてくれそうです。社会的な地位の向上も期待できるでしょう。完璧に近い仕事ぶり、それに伴い昇進もあるかもしれません。ライバルがいる人、競争や勝負事は勝利を手にできそうです。なにか訴訟がある人も良い結果に終わりそうです。大切な人と良い時間を過ごせますし、お子さんがあなたを楽しませてくれます。7月1日から15日、7月31日から10月16日は心配事がありそう。良いことは遅れてきそうです、辛抱強く待ちましょう。健康面では目と骨に気をつけてください。出費をしっかり管理することをおすすめします。この半年間は身体的にも精神的にも活動が活発になりそうです。

火星の動き　火星の動きは良いことも悪いこともたらすでしょう。なにか乗り物を運転するときは十分気をつけてください。お財布事情は悪くありません。悪い出来事ばかり見て嘆かないで、全体を見るよう心がけてください。些細なことで怒らないことが大切です。特に恋人、パートナーとのけんかは禁物です。上司との間で起こりうる誤解も避けましょう。ゴシップ的な噂にも注意です。10月4日から12月24日には、誰かに頼らなければいけない状況にぶつかるかもしれませんが、頼ってみてください。良い結果を導くでしょう。

水星の動き　水星は良いことと悪いことどちらにも作用します。この期間あなたは順調に進歩するでしょう。あなたに献身的に尽くしてくれる人たちにも会えそうです。友人関係も深まっていきます。新しい仕事を始める機会にも恵まれそうです。ただし、恋愛は少し邪魔が入ってうまくいかない期間かも。8月にはあなたの秘密がバレてしまって、それが原因で誤解が生じるかもしれません。

木星の動き　木星の動きはあなたの理性を試そうとしています。というのも恋愛で少し陰りが見えていて、あなた自身があなたのパートナーの周りの人から誘惑があるかもしれないのです。理性が状況を左右しそうです。仕事は順調でしょう。友だちや部下があなたを支えてくれ、やるべき仕事がはっきりします。9月23日から11月20日の間は混乱する原因がありそうです。混乱したままの決断は誤解を招くことになりますから、避けてください。この混乱の対処法は、自問自答すること。自分自身で落ち着かせるのです。

金星の動き　金星もあなたを支える動きをしてくれます。旅行の予定がある人は楽しいものになりますよ。新しく投資を始める人はうまくいきそうです。家族からのサポートも十分期待できます。あなたの話し方、考え方は斬新で人々を魅了するでしょう。

土星の動き　土星の動きは金銭面で良い動きになりそうです。9月28日までは転職に良い時期です。昇進も狙えそうです。まとまったお金が返ってくるチャンスがありそうです。やりくりもうまくいってお金が浮くこともありそうですから、ローンを組んでいる人、借金がある人は返済にあてても良いですね。古い病気を抱えている人は回

SIMHA RASHI（シンハ ラシ）
「M」ではじまるイニシャルのあなたに。

復に向かいそうです。9月29日以降は過剰なくらい健康に気を遣ってください。年上の家族やお子さんの健康も同様に気遣ってあげてください。目標を達成することができますが、あなたにとって不本意なやり方になり、それを利己的だと感じてしまうかもしれません。この時期のあなたのエゴは親密な人間関係を妨げるような悪いものではないことは自覚しておいて。

金運

良い半年になるでしょう。仕事は順調に進み、大きくなりそうです。それに伴い収入は安定、もしくは増収のチャンスもありそうです。やりくりもうまくいきそう。新しく投資を始めたいと考えている人にとってもグッドタイミングです。9月11日から10月4日には予期せぬ収入があるかも。ちょっとした贅沢品を購入するのも良いですね。この期間ならローンを組むのも悪くないかもしれません。あなた自身や、あなたの御両親など、身近な高齢の方の健康のためにお金を使うことをおすすめします。12月12日から31日の間は娯楽のための不必要な出費は避けてください。後々ストレスの原因になるでしょう。

女性に向けて

とても良い時期になりそうです。恋人や旦那さん、大切な人と素敵な日々を過ごせるでしょう。11月20日以降、あなたの社会的な人間関係もほとんどストレスレスです。お子さんがいる人は彼らの順調な成長に幸せを感じられます。あなたの仕事ぶりに同僚や上司も喜んでくれるでしょう。9月23日から11月20日にはなにかしら混乱が起こるかもしれません。なにかを決断する時、時間がかかってしまうかもしれませんが、それは悪いことではありません。ただ、周りの人との間に誤解が生じないよう気をつけてください。この期間は精力的に活動するのが吉ですが、自己中心的になることは避けてください。

学生に向けて

総じてとても良い半年間になりそうです。あなたのパフォーマンスは先生たちを満足させられるものです。部活動などの課外活動でも良い結果を収められるでしょう。旅行も楽しめますが常に学問第一の期間です。特に8月17日から9月23日の間、あなたの成長、進展を邪魔するような悪い友人関係を明確にして、そういう友だちとはあまり深い関わり合いにならないほうが良さそうです。この期間はなにかに熱中、依存しすぎるのも良くない傾向です。

55歳以上の方に向けて

8月16日から9月23日は特に健康を気遣ってください。11月14日から12月24日も昔の病気が再発しないよう気をつけてください。部分的に言うと、目と骨に気をつけて。全体を通して言えばフィジカルの丈夫さという点では好調な時期です。7月、8月は近い親戚との関係があなたのストレスの原因になることがあるかもしれません。ディスコミュニケーションによって生じる誤解がないよう努力してください。10月4日から12月24日の間は他人に利用されたり、うまく使われたと感じることがあるかもしれませんが、理不尽でも怒らないで。ただし7月1日から9月22日の間は他人に利用されること、騙されるということに注意しましょう。貯金をすべてつぎ込んでしまうなんてことがないようにしてくださいね。11、12月は食習慣やお酒の習慣に気をつけてください。

SIMHA RASHI（シンハ ラシ）
「M」ではじまるイニシャルのあなたに。

シンハ ラシのあなたの覚えておきたい重要な日

良い仕事ができる、収入アップが期待できる日

7/1,13,14,15,27,28　8/10,11,25,26　9/6,7,8,11,12,21,22,23
10/3,4,5,17,18,30,31　11/1,13,14,27,28　12/24,25,26,29,30

職場での評価が上がる、勝負事がうまくいく、運試しが強い日

7/2,3,6,7,16,17,29,30　8/12,13,14,30,31
9/9,10　10/1,2,11,12,23,24,28,29
11/7,8,15,16,19,20,21　12/4,5,13,14,17,18,31

恋愛力がアップする日

7/4,5,8,9,10,31　8/1,5,6,　9/1,2,24,25
10/19,20,21,22　11/17,18,22,23　12/11,12,15,16,19,20,21

疲労、怠惰、怒り、衝動的な振る舞い、精神的ストレス、不安、誤解、侮辱など負の感情に囚われる日

7/18,19,20,23,24　8/2,3,4,15,16,19,20,27,28,29
9/15,16,26,27　10/6,7,8,9,10　11/2,3,4,5,6　12/1,6,7,8

事故や怪我、障害に気をつけるべき、健康に問題がある日、旅行がうまくいかない日

7/11,12,21,22　8/7,8,9,17,18,23,24　9/3,4,5,13,14,19,20,28,29,30
10/15,16,25,26,27　11/24,25,26,29,30　12/22,23,27,28

不必要な出費や損害がある日

7/25,26　8/21,22　9/17,18　10/13,14　11/9,10,11,12　12/2,3,9,10

KANYA《カンニャ》 RASHI《ラシ》

「N」「P」からはじまるイニシャルのあなたへ

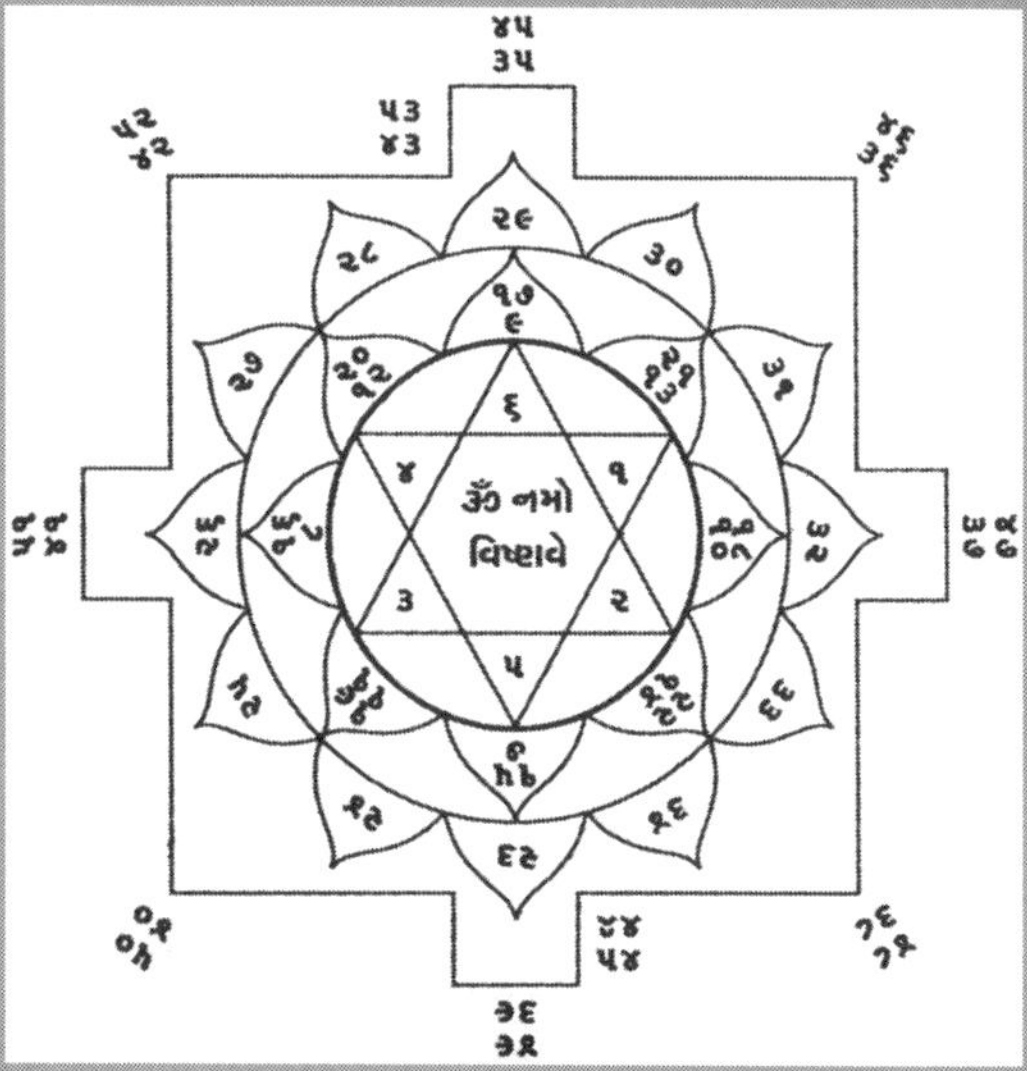

マントラ

ह्रीं बुधाय नमः।

ホゥリム ブゥダヤ ナマハ

カンニャ ラシを司るVISHNU（ヴィシュヌ神）について。

ヴィシュヌ神は3人の最高神(ブラフマー、ヴィシュヌ、シヴァ)の中でも地位の高い神様で宇宙の維持、保護の役割を担っています。人々の考えを導く閃き、インスピレーションの神であり、またビジネスにおいての神でもあるので、ビジネスにまつわる閃きには特に強いでしょう。仕事や雇用を与えてくれたり、仕事上の交渉などをうまく進めるために崇拝されています。海蛇がヴィシュヌ神を運ぶと言われています。

カンニャ ラシの基本性格と運勢

閃きが武器。自分のペースを崩さずに。

カンニャ ラシを司るのはヴィシュヌ神です。宇宙の維持と保護をする神と言われています。人の考えを導く、閃きの神とも言われます。あなたは優れた観察眼を持っており、物事も人も簡単には信じません。笑顔はあなたの人間性そのものを表しています。シャイでセンシティブな性格ですが、あなたの明朗な笑顔や軽快な足取りは周りの多くの人に好感を持たれ、その笑顔に救われるのです。性格はとても合理的で、より快適で便利なものを自然と選んでいます。生活面においても洗練されたものやスマートな教養を好みます。本来、少し怠惰で無気力なあなたは、無理せずにゆっくりと自分のペースで作業をすることが合っているようですね。

この部屋に属するあなたは職人気質なところがあるようです。ひとつのことにじっくりと腰を据えて向かっていきます。また、熟考、推測が得意なので研究者なども向いているようです。持ち前の鋭い観察眼で忍耐強く、思慮深く、慎重かつ勤勉に物事を遂行していきます。相手に対して、物腰柔らかで論理的に話を進める力があります。その反面、自分の秘密を明かさない謎めいた部分もあるようです。頭の回転も早く、気が利いて、細心の注意も払うのですが、先回りしすぎると予測不可能な人と思われてしまいます。旅が大好きで情熱を注ぐもののひとつ。穏やかで怒ることも少ないでしょう。くじ引きなどの運試しが大好きです。

この部屋のキーワードは「保護」「閃き」「ビジネス」「交渉」「合理性」「忍耐」などです。

KANYA RASHI（カンニャ ラシ）
「N」「P」ではじまるイニシャルのあなたに。

カンニャ ラシ　2020年下半期の運勢

将来の準備期間、思わぬ出費が心配事に。

この半年は冒険のようなわくわくした日々になるでしょう。また将来実のなる木の種を蒔くような準備の期間でもあります。日々あなたに立ちふさがる困難が明日の糧になるのです。具体的に言えば、精神的なストレス、心配事、また経済的なやりくりの厳しさなどに直面します。しかしこの数々の困難の経験があなたの今後の人生を強化します。節約生活などに加え、あなたの競争相手や隠れた敵が厄介ごとを運んでくるかもしれません。そういうときは、お祈りやヨガ、呼吸法などあなたに合った精神活動で心を落ち着かせましょう。習得できれば、今後のあなたの助けになるはず。それでも自分ですべてを解決できるわけではありません。家族に頼ることもためらわないで。仕事に関して、7月1日から9月1日、10月14日から11月2日、11月18日から12月31日は飛躍の時期。役目が増えて、望んでいる人には昇進のチャンスも。逆にこの期間以外は職場で少し心配事があるかもしれません。誰かが背後からあなたのイメージを傷つけ、故意に誤解を生じさせようとしていると感じることがあるかもしれません。9月14日から11月2日は特に注意が必要です。この期間はあまり攻撃的にならず、

衝突を避ける行動を心がけて。あまりお金の心配はいりません。ただし、貯金を使い果たすようなことはないようにしてくださいね。この半年間、困難はありますが、お金と人間関係を円滑にするスキルがあなた自身を強く支えていくでしょう。

太陽の動き　あなたにとって良いようにも悪いようにも太陽の動きは働きます。まず、出費が増えると思われます。体力的にもハードな日々が続きそう。7月16日から9月15日、この期間はとてもポジティブな動きをしています。予期せぬ収入があるかも。ご褒美にお出かけやちょっとした旅行なども良いでしょう。楽しめて心の栄養になりますよ。目上の人や、上司に気に入られて社会的立場が上がったり、良い仕事に巡り会えそうです。このチャンスをモノにしたいなら、努力あるのみ！　頑張ってください。7月1日から15日、9月16日から12月31日、この期間はあまり思わしくない動きをしています。先ほどと打って変わって、社会的立場が脅かされるような出来事や懸念材料を抱えたり、仕事でも障害にぶつかりそうです。新しい仕事、転職を考えている人もこの時期はより慎重になることをおすすめします。これらの要素がさらに精神的なストレスを引き起こしますが、自分に腹を立てたりしないで。そういう時期なのだと受け入れて、あまり自分を責めないことが肝要です。

KANYA RASHI（カンニャ ラシ）
「N」「P」ではじまるイニシャルのあなたに。

火星の動き　火星の動きはあまり良いとは言えません。特に他の惑星の位置が悪いときは火星も悪い影響を及ぼすようです。かつ他の惑星が好ましい位置にあるときですら火星からは悪い影響もあるようです。悪い位置にいる間あなたは不安に駆られ、家族や近しい友だちとの間に誤解が生じるような出来事があるかもしれません。また性的な不満がけんかの原因になることも。上司ともうまくいかないことがありそうです。この期間特に旦那さんや奥さんの健康状態に気を配ってあげてください。特に9月3日から11月14日は怪我や事故にご用心です。

水星の動き　水星はあなたに良い結果をもたらすでしょう。7月1日から8月1日、9月1日から14日、10月14日から11月2日、12月18日から31日が良い動きをしています。楽しんで仕事に取り組める時期です。上司はそんなあなたを評価してくれます。昇進もあるかも。ビジネスマンは進展がありそう。仕事を探している最中の人は望んだ条件、職種に出会えそうです。これから大切な存在になる友だちとの出会いもあるでしょう。あなた自身の知性があなたを良い方向へ導く、そんな半年です。

木星の動き　木星の動きも良好です。幸せな時間を運んできてくれるでしょう。この期間のあなたは快活です。あなたを楽しくさせる精神面の充実に目を向けるのが良いでしょう。恋人や大切な人とも素敵なデートができます。友だちや上司もあなたに協力的な姿勢を示してくれます。お金のやりくりも順調ですから、新しい乗り物を買ったり、ちょっとくらい贅沢品に手を出すのも良さそうです。アートなどに新たに取り組んでみると吉です。

金星の動き　金星の動きは良い影響も悪い影響もありそうです。周りの女性からの尊敬が高まる予感。友だちや上司があなたをサポートしてくれる存在です。旦那さんや奥さん、恋人とも良い時間が過ごせます。健康状態は良好です。やりくりもうまくこなせそうですから、ちょっとした贅沢なお買い物も良いでしょう。車やバイクなど乗り物を買い替えるのもありですね。新しいアートを習い始めるのも運気を上げる行動のひとつです。

土星の動き　土星も好ましい動きを見せています。あなた自身の学び、またお子さんについてなにか問題を抱えている人はその解決策が見つかりそうです。精神面が安定し、判断力、決断力も冴えています。争いごとは避けたいところですが、少しくらいの激しい議論はあなたにとってプラス要素になります。周りの人はあなたの意見に真摯に耳を傾けてくれるでしょう。8月17日から10月3日、12月24日から31日には少し混乱があったり、だらだら期に突入してしまうかも。この期間は不必要な口論、けんかは避けてください。また、取るに足らないことでも法に反するよう行動（たとえ信号無視であっても）も回避してください。油断禁物です。海外と取引したり、関わりのある仕事をしている人には有益な期間です。

金運

経済面は心配事の少ない安定した半年になりそうです。7月1日から15日には予期せぬ方法でお金が手に入るかも。同時に出費もありますが、予想の範囲内に収まります。逆に7月16日から8月31日は計算がくるってしまうほどの予想外な出費がありそうです。これに備えてこの期間は、無闇に約束事を取り付けないほうが良いかもしれません。7月から9月の間はあまり倫理的でないお金の使い方は避けてください。9月から12月の3か月間は安定した経済状況を保てるでしょうから、12月には1年のご褒美に自分のためにお金を使ってあげましょう。投資をしている人は自分の直感に従うのがうまくいく時期になりそうです。

女性に向けて

総じてとても良い半年です。友だちと楽しい時間を過ごせるでしょう。家族からの支えに恵まれ、家族内での話し合いではあなたの意見がきちんと尊重されます。9月13日から11月20日の間には新しい出会いがあり、友だちが増えそう。もし新しい仕事を探している人がいれば、この期間は期待大です。お子さんを望んでいる方は授かる場合もあるかもしれません。元カレや前夫、愛人と長引く問題を抱える人も解決の予感です。ちょっとしたお出かけや旅行が楽しい時期でもあります。自分のためにショッピングをするのも良いですね。

学生に向けて

少し早いと感じる人もいるかもしれませんが、この期間はあなたのキャリア形成にとても重要な半年になりそうです。あなたの得意分野で、目標を達成することができるでしょう。得意分野に限らず、芸術方面での新しいことを学ぶのにも良いタイミングです。家族も先生たちもとても親切に支えてくれるでしょう。とても勇敢になれる時期ですが、だからこそ無駄な衝突や悪い交友関係は避けてください。考えなしに突き進むのも良くありません。その勇敢さが蛮勇にならないように注意が必要です。乗り物に乗るとき、安全に注意を払ってください。

55歳以上の方に向けて

良い健康状態を維持できる半年間ですが、食習慣は改善が必要なようです。古い友だちとも再会がありそうで、特に異性の友だちとの時間が楽しいものになるでしょう。9月10日から11月14日には事故や手術が必要な状況があるかも。気をつけておいてください。血圧が少し不安定になりがちで、古い病気や症状が再発する恐れも。健康面以外で言いますと、今一度他人に優しく、を心がけて。社会的な立場が良くなりますよ。また、手間のかかる作業に没頭してみることも良さそうです。素敵な時間と感じられたり、収益を生んだりするかもしれません。

カンニャ ラシのあなたの覚えておきたい重要な日

良い仕事ができる、収入アップが期待できる日

7/21,22,23,24　8/25,26
9/15,16,21,22,23　10/11,12　11/1,27,28　12/2,3,4,5

職場での評価が上がる、勝負事がうまくいく、運試しが強い日

7/8,9,10　8/5,6,19,20　9/1,2
10/3,4,5,25,26,27　11/22,23　12/19,20,21

恋愛力がアップする日

7/6,7,11,12　8/2,3,4,7,8,9,30,31
9/3,4,5　10/30,31　11/7,8　12/22,23

疲労、怠惰、怒り、衝動的な振る舞い、
精神的ストレス、不安、誤解、侮辱など負の感情に囚われる日

7/4,5,13,14,15,18,29,20　8/12,13,14,21,22
9/9,10,17,18,24,25,28,29,30　10/6,7,15,16,23,24
11/2,3,4,11,12,17,18　12/1,9,10,17,18,27,28

事故や怪我、障害に気をつけるべき、
健康に問題がある日、旅行がうまくいかない日

7/2,3,25,26,29,30,31　8/1,10,11,23,24,27,28,29
9/6,7,8,19,20,26,27　10/1,2,13,14,19,20,28,29
11/9,10,15,16,20,21,24,25,26,29,30　12/6,7,8,13,14,24,25,26,31

不必要な出費や損害がある日

7/1,16,17,27,28　8/15,16,17,18　9/11,12,13,14
10/8,9,10,17,18,21,22　11/5,6,13,14　12/11,12,15,16,29,30

TULA RASHI《トゥラ ラシ》

「T」「R」からはじまるイニシャルのあなたへ

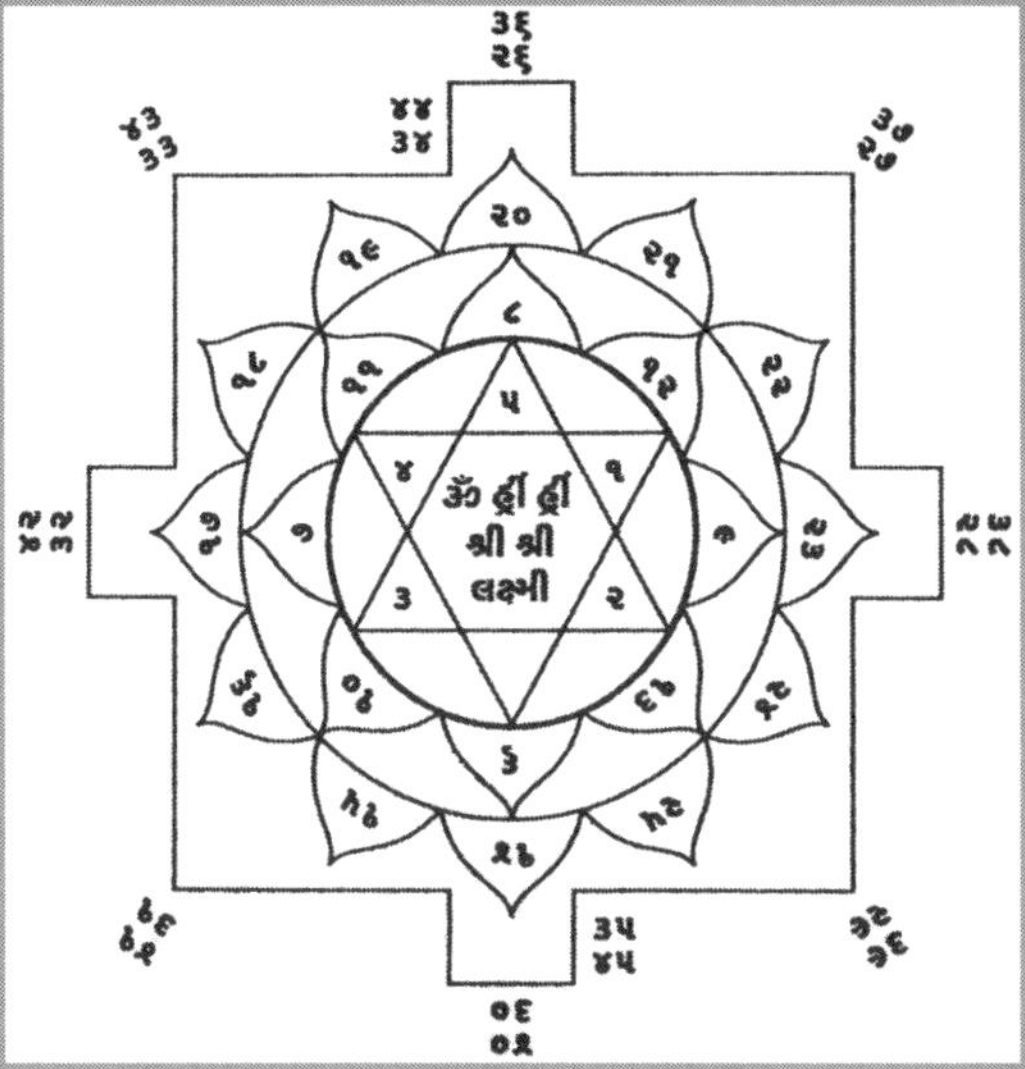

マントラ

ह्रीं भृगवे नमः।

ホゥリム ブルゥグウェ ナマハ

トゥラ ラシを司る
TRIPRASUNDARI（トゥリプラスンドゥリ神）について。

力の女神。宇宙を目覚めさせる女神で、三大神が崇拝し、象徴的に彼女の恩恵を追い求めたと言われています。三界（天界、空中界、地上界）で最も美しい女性とも。愛に満ち、私たち自身の中に宿る力を燃え上がらせてくれます。また、流行の女神でもあり、新しいもの好きです。問題解決の神でもあり、厄介なことを避けてくれる性質も。ライオンがトゥリプラスンドゥリ神を運ぶと言われています。

トゥラ ラシの基本性格と運勢

伝統を重んじながら、流行を取り入れる二面性。

トゥラ ラシを司るのはトゥリプラスンドゥリ神です。パワー、力の女神で、潜在的なパワーを引き出すとも言われます。「流行の神」でもあります。あなたは丁寧で礼儀正しいことを好みます。万全な良い人生を築こうとします。あなたはとても論理的で、バランスや調和を取ろうとします。しかし、決まり事やルール、格式には細かなところまで口うるさいところがあります。そのため少し器量が狭いと思われることも。ですが、それはあなたが紳士的で、好奇心が強く、優れた知覚力、認識力をフル稼働するがゆえの裏返しなのです。変化や発展を好み、新しいものが好きで、チャーミングなあなたは誰とでも簡単に仲良くなり、仲良くなった人たちの良い面、得意な才能を上手に引き出すことができるのです。ほとんどの場合論理的な思考をしているのですが、信心深い一面もあります。霊的なものも信じる傾向が。

この部屋のあなたの性格の本質はロジカルなものを信じるというところに端を発しています。あなたの言動、思考の源は「筋が通っているか」ということなのです。あなたは口数が少なく、言葉よりも行動という不言実行のタイプ。あなたは博識があり、賢く、他人のためになにかをしたい、と思うのです。それゆえ福祉的な事業などに目を向ける人は少なくありません。異性を寄せ付けないところがありますが、目上の人に好かれ、引き上げてもらうという人間性を持っています。また容易く人々を感動させる力があります。肌に炎症を起こしやすいのでご注意を。この部屋の人は往々にしてファッションやトレンドなど流行に敏感です。

この部屋のキーワードは「丁寧」「愛」「頭の回転」「完璧」「問題解決」「礼儀」「流行」などです。

TULA RASHI（トゥラ ラシ）
「T」「R」がイニシャルのあなたに。

トゥラ ラシ　2020年下半期の運勢

新たなるパワーを身につける大切な半年に。

この半年はいくつかの懸念の中にあっても着実な進歩が見られる、そんな期間です。脳内で大きな心配事が渦巻いて仕方ないという状況に何度か遭遇します。しかしこれは同時に新しい扉を開く瞬間でもあるのです。つまりこれは星から与えられた試練であり、試練を乗り越えることであなたは自分の能力を成長させることができるというわけです。この期間はあなたにとって輝かしい未来への準備期間になります。意志の力が強まり、新しい分野における「勘」が働くようになるでしょう。仕事もおおむねうまくいきますが、上司やクライアントに対して思いがけず失礼な態度や話し方で誤解を招いてしまうことがあるかもしれません。気をつけて。他人のミスを指摘することもあまり良くないかも。巡り巡ってあなたもダメージを被ることになりそう。自分の作業に集中するのが良いかもしれません。気に入ったものに出会える期間でもあるので、家や乗り物を買い替えたり、新しい資産を購入するのも良いでしょう。大切な人にちょっと良いプレゼント、とか、長い間抱えている借金があるならその返済をするのも良いですね。あなたはこの期間新しいチャンスを掴む準備がいつでも整っている状態です。もしあなたが倫理に反した行動に甘んじてしまったり、誰かを悪いように利用しようとしたりすると、その行動はきっと裏目に出ます。賢い選択、道徳的な振る舞いを心がけてください。この半年間で芽生えた友情は長く続く大切なものになるでしょう。

太陽の動き　太陽はあなたにとても良い結果をもたらします。7月1日から9月28日、12月15日から31日は特に良い動きです。周りの人があなたを尊敬してくれることで、あなた自身の自尊心も高まり、精神的にとても満たされます。あなたの仕事ぶりに上司も満足。昇進、昇給のチャンスがあるかも。仕事を探しているお子さんがいる方は、良い仕事を見つけられるでしょう。また、あなた自身は影響力のある人たちとの出会いがあり、その人たちがあなたを支えてくれるでしょう。プライベートでもパーティーやお出かけ、旅行が楽しめる良い期間。ただし9月29日から12月14日の間は予期せぬ出費があったり、小さいですが仕事関係のトラブルに見舞われるかもしれません。家を離れず家族といるのが良いと思われます。胃腸と目の健康に気をつけてください。

火星の動き　火星の動きは良い結果も悪い結果も示唆しています。7月1日から9月

TULA RASHI（トゥラ ラシ）
「T」「R」がイニシャルのあなたに。

10日、12月24日から31日は少し好ましくない動きが見られます。他人と意見が食い違うことが多くなるなど、精神的にも肉体的にも体調が安定しない時期です。8月16日から9月10日は旦那さん、奥さんの健康に気をつけてあげてください。小さな怪我、特に旅行中が要注意です。職場での人間関係は良好でしょうが、小さなことで腹を立てないように努めてください。これらのことに注意していれば良くない期間中も大きな問題に発展することはないでしょう。9月10日から12月24日は良い結果が得られそうです。また他人があなたの才能に目を付けてくれる機会があるかも。なにかの勝負事が控えている人は良い結果が得られます。ただし、どこかでぎくしゃくした人間関係ができてしまうかも。

水星の動き　水星の動きは良好です。特に7月1日から9月22日はとても好ましい動きをしています。予期せぬ収入があるかも。大きな資金繰りもうまくいくでしょう。転職や新しいビジネスを始めるのに良いタイミングです。社会的な奉仕活動に従事すると人望がより高まります。友だちやお子さんとも素敵な時間を過ごせます。ものを失くすことと、誰かを責めること、この行為はできるだけ避けてください。隠し事はバレない期間です。10月14日から11月14日は自分の心をうまくコントロールできる期間です。あまり怒りに駆られることもないでしょう。

木星の動き　木星もポジティブな動きをしています。元々得意じゃないという人でも、この期間は人の話を注意深く聞けるようになります。古い友だちに会う機会にも恵まれます。転勤があれば、それは昇進のチャンスでもあります。自分のエゴや衝動的な怒りなど個人的な問題で仕事を断るようなことがないように。仕事が自分自身の人間の広がりを助けます。海外と関わりを持つこともあなたを豊かにするでしょう。友だちも家族もあなたを献身的に支えてくれます。漠然とした不安や、優柔不断な態度は凶です。ヨガや呼吸法などの精神活動もあなたを支えてくれますよ。

金星の動き　金星は良いことも悪いこともももたらすようです。7月1日から8月15日は旦那さんや奥さん、または仕事上のパートナーがあなたに協力的な時期です。新しい出会いの機会があります。健康状態も良好。精神世界や宗教的な慣習などに興味が湧いたりしそうです。8月16日から10月23日の間は少しでも不安があることには無理に挑戦しないほうが良いようです。周りの女性に優しくしてください。背中の痛みに悩まされることがあるかも。特に9月1日から28日は要注意です。10月23日から12月10日は出費をしっかりチェックしましょう。

土星の動き　土星は良い結果を導いてくれるでしょう。7月1日から9月29日は特に良い期間です。9月30日から12月31日は万事順調とは行かないようです。土星があなたの能力を試しているのです。あなたは良い考えを持っていますからきっと乗り越えられます。学生は高い学位を目指すことができます。社会人は今の職を離れて引越しをする機会があるかもしれません。この期間は小さくとも厄介ごとは避けてください。

金運
うまくいきます。精神的に落ち着かないときもお財布事情は良い状態が保たれるでしょう。8、9、12月は経済的に重要な時期になりそうです。予想外の収入が得られるかもしれません。健康のためにお金を使うのが良いでしょう。それから、思いやりをもった発言、話し方を心がけて。あなたの発言が大きな収入を呼び込むきっかけになるかも。これは裏を返せば自分の発言をコントロールできないことが損失を招く可能性もあるということです。また欲張りも禁物です。

女性に向けて

混乱の瞬間に何度か直面してしまうかもしれません。本来の性質も災いして優柔不断に陥ることがあるでしょう。新しい出会いがある反面、古い友だちとの縁が切れてしまうことがあるかも。なにかしらの誤解が原因で、旦那さんや恋人との仲が思わしくない人はその誤解が明らかになるでしょう。特に7月1日から13日。関係を修復するのに良い期間です。親しき中にも礼儀あり、を心がけて。パートナーに対して手がかかると感じることがあるかもしれませんが、落ち着いて対処してください。転職はうまくいく時期ですが、怒りやエゴに囚われると良くないと出ています。自分がなぜ転職を望むのか今一度考えてみてください。7月1日から9月10日、12月24日から31日はご自身の健康に気をつけてください。8月16日から31日は同僚に不満を抱くことがあるかもしれませんが、あまり怒らないで。この時期、嘘が災いを引き起こすかもしれません。

学生に向けて

とても良い半年間です。課題やプロジェクトを締め切り前にきっちり終えられて、成績も上々、先生たちから良い評価が期待できます。周りの人たちは自分の思うように振舞ってくれるでしょう。ただし、いたずらは見逃してもらえませんよ。羽目を外しすぎないことが肝心。海外留学を考えているあなた、悩みは尽きないと思いますが、物事は落ち着くところに落ち着きます。特に9月から12月に動きがあるかも。どちらにしろ、決断は慎重に。

55歳以上の方へ向けて

大きな波のない平穏な運勢と言えるでしょう。時間がなくてできなかった長年の望みが叶いそうです。8月16日から10月23日の間は体調に気をつけてください。背中や腰、関節の痛みが現れるかも。適切な治療を受けることをおすすめします。この期間は逃げ出したくなるような問題に耳を傾けなければいけない、そんな出来事があるかもしれません。大切な人に好ましくない態度をとられたり、良いように言ってあなたを利用しようとする悪い人が現れるかもしれません。少しでも不信感を感じたら避けてください。大切な人や家族があなたを大切に思わないようなときは、怒ったりせずに少し距離を置いてください。落ち着いてから接しましょう。秘密を明かすのも良くないタイミングです。この時期あなたの運を開くのは社会的な奉仕活動に熱心に取り組むことです。

TULA RASHI（トゥラ ラシ）
「T」「R」がイニシャルのあなたに。

トゥラ ラシのあなたの覚えておきたい重要な日

良い仕事ができる、収入アップが期待できる日

7/18,19,20,27,28　8/15,16,19,20　9/15,16
10/8,9,10　11/5,6,29,30　12/2,3,27,28

職場での評価が上がる、勝負事がうまくいく、運試しが強い日

7/11,12,25,26　8/7,8,9,23,24　9/17,18,19,20　10/6,7,21,22,23,24
11/2,3,4,17,18,19,20,21,24,25,26　12/1,11,12,15,16,17,18

恋愛力がアップする日

7/1,6,7,13,14,15　8/2,3,4,5,6,10,11
9/1,2,6,7,8,24,25　10/17,18　11/13,14　12/22,23

疲労、怠惰、怒り、衝動的な振る舞い、精神的ストレス、不安、誤解、侮辱など負の感情に囚われる日

7/8,9,10,21,22,31　8/1,30,31　9/3,4,5,26,27
10/1,2,25,26,27　11/9,10,22,23　12/6,7,8,19,20,21

事故や怪我、障害に気をつけるべき、健康に問題がある日、旅行がうまくいかない日

7/4,5,16,17,29,30　8/12,13,14,21,22,27,28,29
9/9,10,13,14,2829,30　10/3,4,5,13,14,15,16,30,31
11/1,11,12,27,28　12/9,10,24,25,26,29,30,31

不必要な出費や損害がある日

7/2,3,23,24　8/17,18,25,26　9/11,12,21,22,23
10/11,12,19,20,28,29　11/7,8,15,16　12/4,5,13,14

VRISHCHIK RASHI《ヴリスチク ラシ》

「Y」ではじまるイニシャルのあなたへ

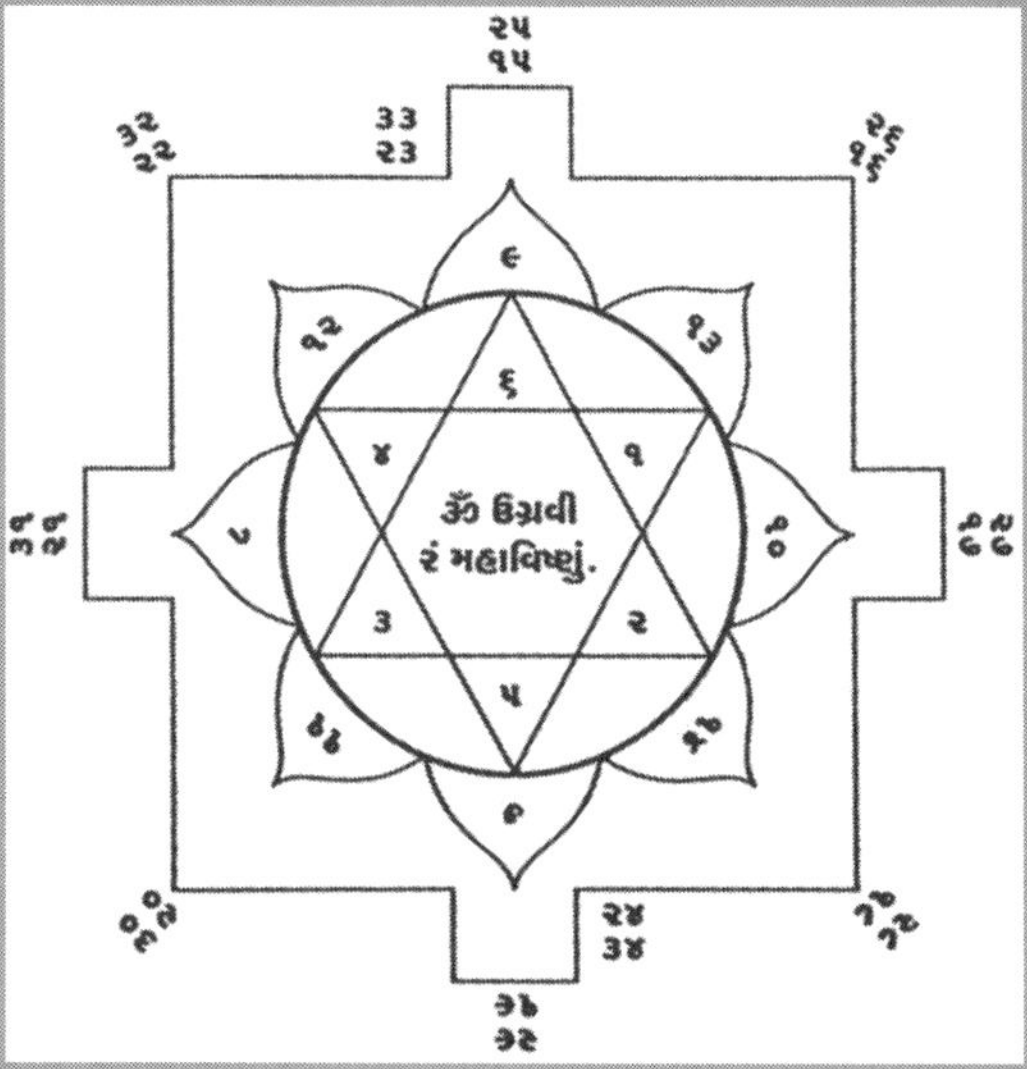

マントラ

ह्रीं अं अंगारकाय नमः ।

ホゥリム アンアンガァルカヤ ナマハ

ヴリスチク ラシを司る Bagaramkhi（バガラームキー神）について。

バガラームキーは10人の偉大な知識の神の一人であり、「軍事の破壊者」でもある知恵と闘いの女神です。「破壊者」の名の通り、あらゆるものを破壊し、最強の女神との呼び声も高いですが、ただの戦いの神というわけではありません。たとえば問題や困難な状況、また私たちの心の内側にある苦痛、苦悩なども破壊します。こうしたあらゆる「障害」を破壊し、取り除くことですべての人の生活に平和をもたらしてくれるのです。牛がバガラームキー神を運びます。

ヴリスチク ラシの基本性格と運勢

内に秘めた誠実さが良い運勢を呼び込む。

ヴリスチクの部屋を司るのはバガラームキー神です。この部屋のあなたが持つ基本性質は、力強さと真面目さです。正直者で、誠実、周りからの信頼も厚いのですが、短気なのが玉にキズ。プライドの高さからときどきわけもなく怒ってしまったり、やられたらやり返すという気持ちに駆られたり、ちょっと極端な考えを持ってしまい自己中心的になってしまうことも。侮辱されることがとても嫌いです。しかしそんな一面と同時に、自分の周りにいる子どもたちに気を配る優しさも持ち合わせています。

化学やテクノロジーなどに興味を持つ理系の方が多い部屋です。単純に理系というだけではなく、物事を理詰めで考えられるので、ビジネスにも向いています。また勇敢な気持ちは格闘系や戦いというワードを連想させる仕事を求めることも。仕事面では成功すると出ています。あなたは小競り合いや小さな諍いごとはあまり気にしないので、少し言葉使いの荒さや、正直な物言いがすぎてしまう悪い癖があるかもしれません。なにかに夢中になったり、あるいはなにかの中毒になってしまうことで、あなたの健康を害することがあるかもしれません、注意しましょう。あなたはお金稼ぎに関してはかなりクレバーです。兄弟姉妹との関係に気をつけて。

この部屋のキーワードは「破壊」「苦悩、苦痛を破壊」「平和」「智慧」「戦い」などです。

VRISHCHIK RASHI（ヴリスチク ラシ）
「Y」からはじまるイニシャルのあなたに。

ヴリスチク ラシ　２０２０年下半期の運勢
努力が報われ、夢が叶う最良の半年。

かけがえのない半年になるでしょう。惑星たちはあなたにとってとても良い位置から動き出しています。あなたの夢は想像以上に叶います。今年のすべての努力が報われるでしょう。幸運はまさに今あなたのすぐそばにあるのです。物事の本質を見極めることができるあなたのプランニングは適切で、かつ順調に軌道に乗っていきます。この半年は小さな努力でも報われる良い結果が得られます。あなたが成し遂げたいことすべてに対して支えに恵まれる時期なのです。特に8月16日から9月15日、9月16日から11月3日は抱える仕事が順調に終わっていくようです。スキルアップが昇進、転職にも役立ちます。上司やクライアントとは友好でシンプルな関係を築けます。出会った人たちに、心に残る感動を与えることもできるでしょう。新しいことに対して積極的に取り組めて新しい環境にもすぐ馴染めます。あなたの内に秘めたパワーは活発で、そのエネルギーがあなたに対する社会的な敬意を高めるようです。知性にも磨きがかかります。あなたの過去の良い行ないが返ってくる時期でもあります。収入も使った分より多く稼げますが、賢くやりくりしてくださいね。少し非倫理的な方に流れてしまう時期でもありますが、そこは自ら厳しく律さなければなりません。劣等感、コンプレックスを克服し、自尊心を高めることができるはずです。8月は攻撃的な態度や誤解も禁物です。

太陽の動き　太陽はあなたに素晴らしい結果をもたらす動きをしています。特に8月16日から10月3日、10月17日から23日は良い場所から動き出します。この期間はあなたの計画や考えが順調に動いていくでしょう。また影響力のある人たちや地位の高い人たちとの出会いがあり、その出会いはあなたにとってとても実りのあるものになるはずです。もし仕事の面接が控えている人がいれば、良い結果が待っているでしょう。仕事も順調、あなたに対する敬意も高まる時期です。プライベートも充実して、パーティーやお出かけ、旅行も楽しめるでしょう。過去の財政投資が今になって良い結果で返ってくるかも。7月1日から8月15日、10月4日から16日、10月24日から12月31日、この期間はライバルや競争相手に置き去りにされているような感覚に陥るでしょう。他人との小さな意見の食い違いがけんかに転じることがあるかもしれません。風邪にも注意です。心配事は、取り越し苦労に終わりそうですよ。仕事や職種などあなたの根本に関わるようなものに変化が訪れるかもしれません。

VRISHCHIK RASHI（ヴリスチク ラシ）
「Y」からはじまるイニシャルのあなたに。

火星の動き　火星もとても良い結果を導く動きをしています。7月1日から31日、8月16日から31日、9月29日から12月31日が特に良いです。健康状態が向上します。強く明確な決断ができることでしょう。物事の進展はゆっくりとしていますが、最終的にはきっと有益なものになります。旦那さんや奥さん、恋人、それからお子さんと幸せな時間が過ごせます。特別多くはないですが、十分仕事に見合った収入が見込めそうです。昔の借金がある方は完済のチャンス。影響力のある人があなたを気に入り、支えてくれます。8月1日から15日、9月1日から28日は我慢のとき。争いごとは避けたほうが良いでしょう。お子さんの健康に気を配ってあげてください。あなたの旦那さん、奥さん、仕事上のパートナーがあなたを支えてくれます。職場では穏やかに、不必要なゴシップに注意です。

水星の動き　水星は悪いようにも良いようにも作用します。7月1日から8月1日、9月2日から10月22日、12月24日から31日はとても好ましい動きを示しています。あなたの専門分野に関する知識が向上し、パフォーマンスも磨かれていくでしょう。仕事での昇進のチャンスも。あなたの内に潜むパワーが開花し、あなたを導いてくれるのです。神秘学を勉強するとあなたの能力の開花を助けてくれそうです。望んでいる方はお子さんを授かる場合もありそうです。8月1日から2日から9月1日、9月23日から12月23日の間には収入が通常より遅れてしまったり、責任を押し付けられる、といった困難に遭遇しそうです。そんなときでも人に厳しく当たらないで。ネガティブな感情に囚われてしまうことはあなたにとって良くないのです。

木星の動き　木星は好ましい動きをしています。この期間は家族との時間があなたの幸せ。いつにも増して優しく物腰柔らかですが、同時にあなたの話す真実によって傷ついてしまう人がいるかも。発言には慎重に。9月22日から11月19日の間は食事に気をつけてください。転勤の可能性があります。困窮はしませんが今まであった必要以上の収入というのは望めないかもしれません。

金星の動き　金星もあなたにとって良好な動きをします。8月16日から9月1日、9月28日から10月4日、11月18日から12月31日は特に良い結果がもたらされる期間です。もし乗り物の購入を検討しているなら、衝動買いは禁物。十分な準備と熟考を。この期間の新しい出会いは末永く付き合っていく大切な人になることでしょう。上司はあなたの仕事ぶりを喜んでくれるでしょう。11月、12月は少し贅沢な買い物も良いですよ。7月1日から8月15日は旦那さんや奥さんとの争いごとを避けてください。あなたの冷静さ、穏やかさが一番の武器です。

金運

全体的にとても良いです。あなたの振る舞いや、着眼点、考え方が金運を呼び寄せています。予想外の収入もありそうですね。意外な方法でお金が入ってきてしまうくらい金運は強いようです。あなた自身のスキルや知識で良いお金を稼ぐことができるでしょう。新しい仕事でも良いお金を得られそうです。さらに家族や近しい親戚まで金銭面でサポートしてくれるかも。8月は収入が思ったより遅れてくることになり、少し残念な気分を味わうことも。この期間はあまり約束事を守れないかもしれませんから、無闇に約束をしないほうが良いかもしれませんね。

女性に向けて

とても良い半年を過ごせそうです。特に7月1日から9月23日、この期間はあなたのおしゃべりが周りの人たちを幸せにします。この期間は家族など、あなたを尊重してくれる人、また、社会的な決まり事に従うことが吉です。会社の人たちもあなたを今まで以上に尊重してくれて、それがあなたの精神的な平穏につながります。7月1日から8月15日は旦那さん、恋人との間で意見の食い違いが生じるかも。その対立は激化させないほうが良いです。また、他人を頼りすぎるのも良くない時期だと出ています。間違ったアドバイスをされてしまうことも注意してください。家族や友だちからプレゼントがもらえるかもしれません。自分自身のためにお金を使うのも良いでしょう。健康状態も良好です。

学生に向けて

十分な成果が得られる、そんな半年です。新しくなにかを学びたい、なにかを変えたいという人にも良いタイミング。何事も逃げずに挑戦してみてください。この期間のあなたにとって成功は容易いものですが、それは自分だけの力というわけではありません。先輩や先生たちのアドバイス、指導には従うべきです。この期間は意見の食い違う友だちとは一緒にいないほうが良いかも。9月16日から10月3日は旅行やお出かけが楽しいでしょう。留学を考えている人にも良いタイミングです。家族はあなたに惜しむことなく愛も敬意も与えてくれるでしょう。

VRISHCHIK RASHI（ヴリスチク ラシ）
「Y」からはじまるイニシャルのあなたに。

55歳以上の方へ向けて

いろいろな形で幸せが訪れます。あなたの家族や友だちはあなたを尊重し、あなたの意見に真摯に耳を傾けてくれます。あなたの経験やスキルが周りの人たちの役に立ちます。それがあなた自身の喜びにもなるでしょう。同時に古い友だちもあなたを支えてくれます。またあなたが望む人があなたを気に入ってくれるでしょう。贅沢品にお金を使うのも良いですよ。9月中は金運が良い時期ですが、健康にはいつも以上に気をつけてください。8月16日から10月4日にはあなたに幸せを運んできてくれるような新しい出会いがあるかもしれません。人を傷つけるような発言を控えれば、良い期間になるでしょう。

ヴリスチク ラシのあなたの覚えておきたい重要な日

良い仕事ができる、収入アップが期待できる日

7/6,7,23,24　8/13,14,17,18,30,31　9/13,14,15,16
10/13,14,21,22,23　11/11,12　12/9,10,31

職場での評価が上がる、勝負事がうまくいく、運試しが強い日

7/13,14,15,18,19,20　8/10,11,19,20　9/1,2,6,7,11,12,15,16
10/3,4,5,8,9,10,23,24　11/5,6,9,10　12/6,7,8,17,18,29,30

恋愛力がアップする日

8/23,24,25,26　9/3,4,5,28,29,30
10/1,2,17,18　11/19,20,21,29,30　12/1,24,25,26

疲労、怠惰、怒り、衝動的な振る舞い、精神的ストレス、不安、誤解、侮辱など負の感情に囚われる日

7/2,3,11,13,21,22,29,30　8/5,6,21,22　9/17,18
10/6,7,19,20　11/1,7,8,23,24,25,26　12/4,5,13,14,19,20,21

事故や怪我、障害に気をつけるべき、健康に問題がある日、旅行がうまくいかない日

7/1,8,9,10,16,17,27,28　8/2,3,4,12,13,14
9/9,10,19,20,26,27　10/21,22,25,26,27,30,31
11/13,14,15,16,17,27,28　12/2,3,11,12,27,28

不必要な出費や損害がある日

7/4,5,25,26,31　8/1,7,8,9,27,28,29　9/24,25
10/11,12,28,29　11/2,3,4,18　12/15,16,22,23

DHANU RASHI《ドゥヌゥ ラシ》

「F」ではじまるイニシャルのあなたへ

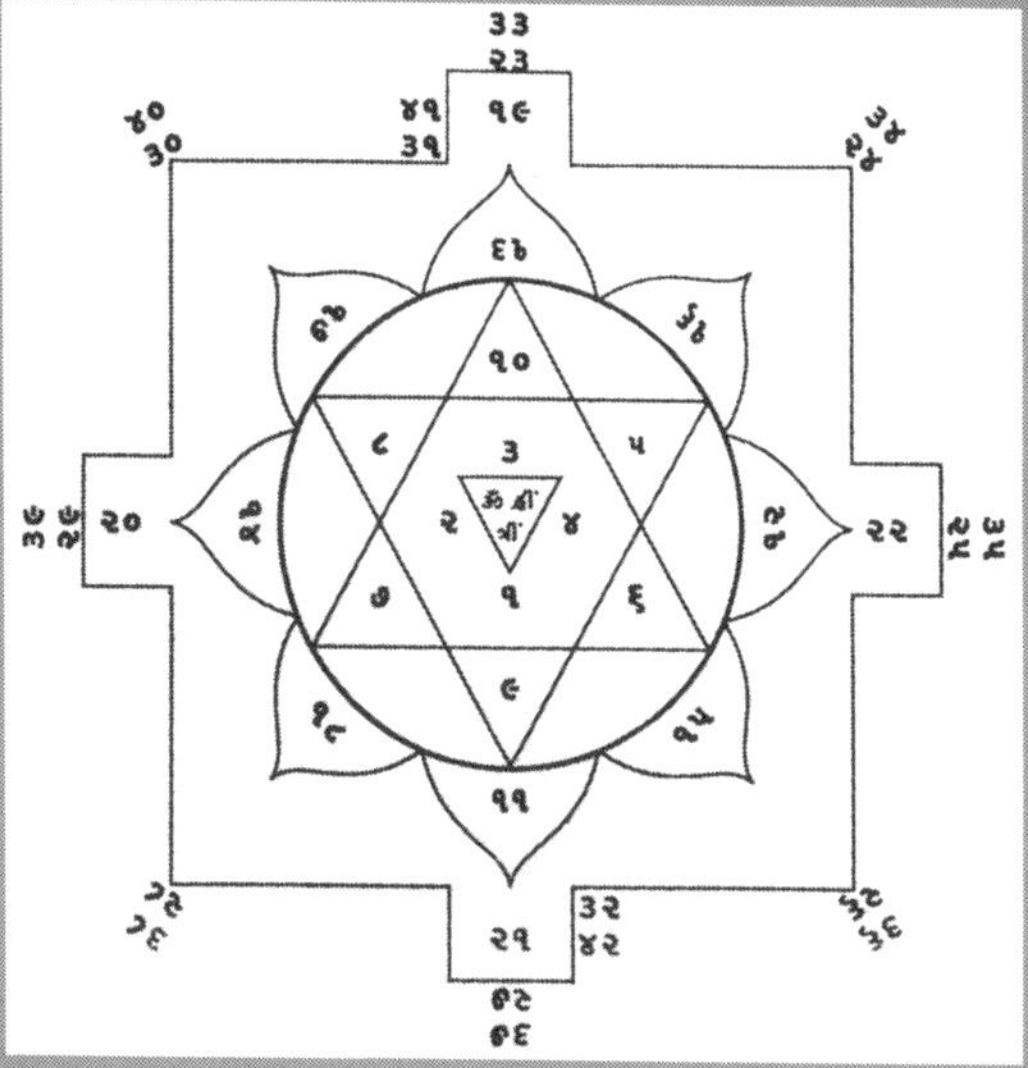

マントラ

बृं बृहस्पतये नमः ।

ブルン　ブルフゥ スパタエ ナマハ

ドゥヌゥ ラシを司るDURGA（ドゥルガー神）について。

ドゥルガー神は「近づき難い者」「とりで」「無痛」などを意味する、戦いの女神です。しかし彼女が戦うのは、平和や繁栄、幸運を脅かす悪魔的な力に対してなのです。圧力からの解放など、不道徳なものに対して神聖な天罰を下す、いわば母のような保護の精神をもつ女神で、実は優しさを秘めているのです。少しばかり激しい形態をしていますが、ポジティブなエネルギーを持つとても前向きな神様なのです。タイガーがドゥルガー神を運ぶと言われています。

ドゥヌゥ ラシの基本性格と運勢

理想を持って、厳格に自由に生きる人。

ドゥヌゥ ラシを司るのはドゥルガー神です。この部屋のあなたは無邪気な人です。笑顔が絶えない、あどけない可愛らしさがあります。その反面、人より優れた聡明さも備えています。結果を気にすることなく、自由に行動できるのも特長です。人としての営みにあるべき主義、信条を堅く守ります。家族の中心にあり、家族のためなら損得勘定なしに尽くすことができる人です。幸せで幸運な生き方を導く素晴らしい潜在能力を持っています。会社などの組織で能力を発揮する理論的なあなたはリーダー気質も備えています。生活態度も健康的、楽天家で寛大、勇敢な面もあり、周りからの信頼も厚いです。忠誠心はありますが、独立心もあり、謙虚で貞淑、順風満帆です。不自由ない家庭に生まれることが多いですが、努力することが直接富につながるタイプではありません。

この部屋の人は、物腰柔らかで周りの人からの人気も高いですが、友情に固執してしまうところがあります。あなたは仕事においても成果を考えずに働くところがあります。それがあなたらしいやり方なのです。たとえあなたが商売をするにしても、自分らしさを忘れないでください。理想主義者であるがゆえに、高圧的に、怒りっぽくなってしまう一面もあります。髪の毛に難がある人が多いようです。髪の毛のケアには注意しましょう！

この部屋のキーワードは「近づき難い者」「とりで」「無痛」「邪悪との戦い」「母性」「繁栄」などです。

DHANU RASHI（ドゥヌゥ ラシ）
「F」からはじまるイニシャルのあなたに。

ドゥヌゥ ラシ　２０２０年下半期の運勢

我が道を行く、それが未来につながる。

この半年はシンプルで軽快な半年になるでしょう。元来ドゥヌゥ ラシの人というのは、愛に溢れたおおらかな性質を持っています。この半年間、他人との敵対の中で優越感を感じるのではなく、自分自身の道を迷うことなく進める期間です。評価されたいという気持ちがないわけではないですが、他人と比べようとしないので駆け引きの中で嘘をついたり、不正を行なうようなこともないでしょう。このおかげで仕事も順調。9月16日から20日、10月17日から11月15日は努力すること自体があなたの満足感につながります。自己満足に終わらず、あなたの仕事ぶりに上司やクライアントも喜んでくれそう。家族も友だちも良くしてくれます。周りの人たちとは尊敬し、尊敬されるという相互関係も生まれるでしょう。職場において影響力のある人との出会いも。ただあなたの部下だけはあなたの振る舞い、行動では幸せになれないかもしれません。それでもあなたのこの半年間はシンプルかつ進歩のあるものになるでしょう。旅行も楽しめますよ。今の職を辞めてなにか自分の力で新しいことを始めたいと考えている人には、9月23日から12月31日がグッドタイミングです。9月の終わりごろは少し健康に注意が必要ですが、総じて好ましい半年間です。

太陽の動き　あなたに良い結果、悪い結果どちらももたらすのが太陽です。7月1日から9月15日は友だちと意見の食い違いが起きる時期です。お子さんの健康にも気を配る必要がありそうです。どちらも適切な対処をしてください。出費の増加が少しストレスの原因になることも。一番信用している人が自分の話を聞いてくれない、と感じることもあるかもしれません。10月1日から16日、11月16日から12月31日には職場での出来事がストレスの原因。人間関係に不安を抱くことがあるでしょう。目標達成もいつも以上の努力が必要になりそうです。この期間は目と胃腸の不調に気をつけてください。9月16日から30日、10月17日から11月15日は滞っていた仕事に進展があるでしょう。社会的な立場が上がる時期でもあります。昇進や大きな責任ある仕事を任せてもらえることも。職探し中の人は良い仕事が見つかりそう。

火星の動き　火星はポジティブな結果を与えてくれそうです。8月16日から10月4日は特に好調です。周りの人たちがあなたの能力に気付くときです。資産に関する問題を抱える人は解決の兆しが見えています。職場で障害に感じていたものもこれ以上あ

DHANU RASHI（ドゥヌゥ ラシ）
「F」からはじまるイニシャルのあなたに。

なたを妨げることはないでしょう。新しい収入源も期待できそうです。7月1日から8月15日、10月5日から12月23日は健康に注意しておきましょう。勝負事はうまくいきます。生活必需品以外にお金を使うときは良く考えてからにしてください。この期間はいつも以上に非道徳的な行動は控えましょう。

水星の動き　水星も良好な動きです。7月1日から8月1日は進歩の時期です。長いスパンで利益を生み出すような計画が立てられます。精神的な恐怖に打ち勝つことができるでしょう。8月2日から12月31日にはちょっとした挑戦もしくは困難が。収入が減少するかもしれません。旦那さんや奥さん、また仕事上のパートナーとの争いはなるべく避けましょう。旅行の際は慎重に。あなたの秘密をバラされる可能性がありますから、非倫理的な人とは関わらないでおきましょう。まっすぐ突き進むこと、自分の言動をはっきりさせること、これが困難を乗り越えるための鍵です。

木星の動き　とても良好に木星は動いています。7月1日から11月19日、あなたの新たな一面が生まれるかも。もし長く恋愛関係にある人がいるなら、結婚に発展することも。あなたはとても素敵な旦那さん、奥さんになれますよ、楽しみにして。昇進もあるでしょう。転勤もありえますが、これもあなたにとって有益であるはずです。将来に向けてのビジョンが明確になるこの時期。その将来をより明確に、より良いものにするために新たなステップへ進みましょう。11月20日から12月31日は出費をしっかりチェックしておきましょう。予想外の出費に備えるためです。

金星の動き 金星は良い方にも悪い方にも作用します。7月1日から31日、10月23日から12月10日は勝負事に強い期間です。また、古い病気を抱えている人は良い治療法が見つかるでしょう。お出かけや軽い旅行が楽しい時期でもあります。プラスアルファの収入を生み出すチャンスもあるでしょう。職場の人間関係も良好。加えて、旦那さんや奥さん、お子さん、友だちもあなたを献身的に支えてくれます。8月1日から31日、9月1日から27日、9月28日から12月22日は健康に気を遣ってください。誤解を招く言動にも要注意です。

土星の動き 土星は良い結果、悪い結果をもたらします。7月1日から9月23日は経済面がうまく管理できる時期です。ビジネスマンの人は運営資金が十分に調達できるでしょう。ビジネスマンでなくても収入を増やすための努力が報われます。借金を抱

DHANU RASHI（ドゥヌゥ ラシ）
「F」からはじまるイニシャルのあなたに。

える人は完済のチャンスでもあります。ご家族の健康に気をつけてあげてください。あなた自身も関節や骨の痛みに悩まされるかも。この時期は理屈っぽくなったり、議論をふっかけたりするのが良くないようです。イライラも抑えてください。新しい冒険やビジネスを始めるのもいいでしょう。あなた自身の知性があなたを良い方向へ導いてくれるはずです。

金運

経済的に不自由のない半年でしょう。あなたの必要な分だけ収入を生み出せるはずです。ローンを組んでちょっとした贅沢品や資産を買うのもいいですが、それよりも健康のためにお金を使うのが良いでしょう。不必要なもののために無駄遣いはしないで。11月は少し収入の減少が見られますが、まとまった金額を取り戻すことができます。総じて経済的困難に見舞われることはないでしょう。10月23日から12月10日は特に予期せぬ収入源からの収入も期待できそう。プレゼントをもらうことも。

女性に向けて

良いことも悪いことも、という波がある時期です。友だち、旦那さん、家族とは素敵な時間を過ごせます。7月1日から9月23日、11月21日から12月31日は古い友だちとの再会がありそうですが、これは正直あまり良い再会にはならないかも。理由をつけてでも避けた方が良いかもしれませんね。転職すべきなのではないかという気持ちになる時期でもあります。悩みの絶えない期間です。9月23日から11月20日は有意義な出会いがありそう。求職中の人は仕事との良い出会いも期待できます。この期間、経済的には大きな問題はなさそうです。ショッピングなどあなたの欲しいものにお金をかけることができますよ。自問自答が役に立つかも。あなたの考えを明確にしてくれるのです。間違いに気付いて過去の決定を改めるきっかけになりそうです。

学生へ向けて

総じてとても良い半年間です。何に対しても積極的にアプローチをすると良いでしょう。さまざまなことやものを掌握する力が増しているのです。順位付けのある試験を控えている人は成功を掴むチャンスです。簡単なものでも講義を受ける機会や、受けたいと思っているものがあるなら良いタイミングです。学校の旅行や合宿はあなたにとって実のあるものになるでしょう。あなたの友だち、先輩、先生たちは素敵な人ばかりだと思いますが、中には悪い友達もいるようですから避けましょう。この半年、あなたは自分自身の高いモチベーションにも、良いアドバイスにも恵まれ、パフォーマンスは確実に向上します。

55歳以上の方へ向けて

なんでもこなせそうな半年間です。幸せはあなたのすぐ近くにあります。健康問題は安定した回復を見せるでしょう。昔からの長引く症状をお持ちの人も適切な治療を受けられるはずです。7月1日から9月15日の間は咳風邪、熱風邪など軽い健康問題の可能性が。お子さんの健康にも気をつけてあげてください。お財布事情は良好です。9月24日から10月22日は関節の痛みに悩まされるかも。適切な処置が必要です。旦那さんや奥さん、恋人にちょっとお高めのプレゼントをねだってみてもいいかも。家族や大切な人と幸せな時間が過ごせる半年です。

ドゥヌゥ ラシのあなたの覚えておきたい重要な日

良い仕事ができる、収入アップが期待できる日

7/1,8,9,10,21,22,23,24　8/5,6,21,22
9/17,18　10/13,14,17,18,25,26,27
11/9,10,13,14,22,23　12/6,7,8,11,12,19,20,21

職場での評価が上がる、勝負事がうまくいく、運試しが強い日

7/4,5,11,12,16,17　8/12,13,14,17,18　9/9,10,13,14
10/1,2,11,12,21,22,28,29　11/7,8,17,18,24,25,26　12/4,5,22,23

恋愛力がアップする日

7/31　8/1,23,24 9/21,22,23
10/3,4,5,19,20,30,31　11/1,15,16　12/15,16,31

疲労、怠惰、怒り、衝動的な振る舞い、精神的ストレス、不安、誤解、侮辱など負の感情に囚われる日

7/13,14,15　8/2,3,4,7,8,9,19,20　9/3,4,5,24,25
10/6,7　11/2,3,4,5,24,25　10/6,7　11/2,3,4,11,12,27,28
12/1,9,10,24,25,26

事故や怪我、障害に気をつけるべき、健康に問題がある日、旅行がうまくいかない日

7/2,3,18,19,20,25,26,29,30　8/15,16,25,26,30,31
9/1,2,11,12,15,16,28,29,30　10/8,9,10,23,24　11/5,6,19,20,21
12/2,3,13,14,17,18,29,30

不必要な出費や損害がある日

7/6,7,27,28,29　8/10,11,27,28,29　9/6,7,8,19,20,26,27
10/15,16　11/29,30 12/27,28

MAKAR《マカル》 RASHI《ラシ》

「J」ではじまるイニシャルのあなたへ

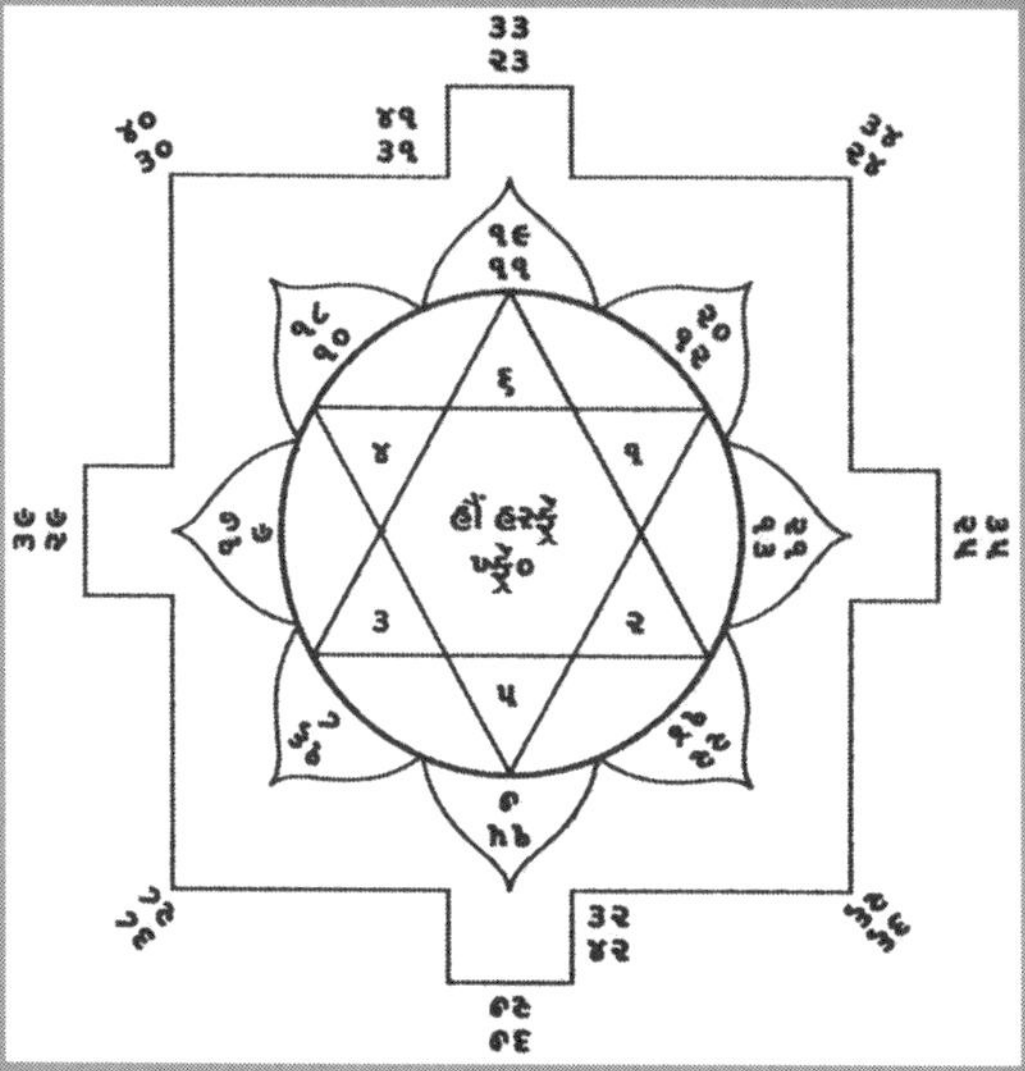

マントラ

शं शनैश्चराय नमः ।

シャンシャネシュチャラヤ ナマハ

マカル ラシを司るBHAIRAVA（バイラヴァ神）について。

バイラヴァはシヴァ神の化身のひとつであり、シヴァ神の恐ろしい姿である、恐怖の神です。と言っても恐怖を追い払ってくれる、という意味であって決して悪い神様ではありません。人々の内側にある恐怖の根源を突き止め、根絶、破壊してくれるのです。声がとても大きく、それは山をも揺らすほどの大きさであると言われています。また、彼は間違った行いを罰する神であるとも信じられており、私たちの中にある欲望という恐ろしい敵をも倒してくれるのです。犬がバイラヴァ神を運ぶと言われています。

MAKAR RASHI（マカル ラシ）
「J」からはじまるイニシャルのあなたに。

マカル ラシ基本性格と運勢
冷静で独特な視点。自分磨きに余念がない。

マカル ラシを司るのはバイラヴァ神です。この部屋のあなたは物事を違う視点から見る能力に長けています。友だちにはとても優しいですが、敵だと思うと容赦がありません。SMのどちらかといえばSの要素があるようです。批判的な性質は他者のみならず自分自身さえ批評の対象とする強い心を持っています。物事に対して一過性の情熱を持つよりは、常に安定して冷静に行動をします。高い水準に自らを置く真面目な一面はあなたを常に助けてくれます。公私をしっかり分けることを好む傾向にあります。

この部屋のあなたの仕事ぶりはゆっくりとマイペースです。自分の仕事にとても自信を持っていて、やり方には拘りませんが、常に完成系や結果などゴールに重きを置きます。内向的で控えめなところもありますが、同時に大きな志を持ち、高い地位や名誉、高い暮らしを得るための最善の努力を惜しみません。強い意志、自制心で上を目指すのです。あなたが落ち込んでしまうのは自ら目指したゴールを達成できなかったとき。あなたの人生は順調なだけではありません。ライバルとの争いや足の引っ張り合い、嫉妬や目の敵にあったり、妬みに立ち向かわなければいけないときもあるかもしれません。外見は派手なほうがあなたに合っています。大家族な人が多いのも特徴。

この部屋のキーワードは「恐怖を追い払う」「大きな声」「間違いを正す」「正義」「冷静」などです。

MAKAR RASHI（マカル ラシ）
「J」からはじまるイニシャルのあなたに。

マカル ラシ　2020年下半期の運勢

地道に動いて、働くことで道は拓ける。

成果という甘みと課題という苦みが同時に訪れる、そんな半年が待っています。仕事もハード。他人のミスが原因で問題に直面する羽目になるかもしれません。部下のミスは優しく注意してあげましょう。非道徳的な友だちとの付き合いがストレスの原因になったりします。できるだけ避けてください。しかし用心深さがあれば、良い半年になるはずです。社会的立場や、あなたに対する敬意が上がる時期です。ギャンブルなどで簡単にお金を稼ぐ道へあなたを誘おうとしたり、なんとなくうまく利用してやろうと日和見主義的に考える人が近づいてくるかも。それで得られるのは一時的な利益だけですから乗ってはいけません。10月17日から11月20日はとても良い時期です。業績を上げることもできますし、様々な困難も克服できるでしょう。昇進も期待できます。理屈っぽくなるのは良くないようですね。ビジネスマン、独立して仕事をしている人は革新的なアイデアが利益を生み出します。また、劣等感に囚われないこと。これが成功の鍵です。

太陽の動き　太陽の動きは良い結果悪い結果どちらにも作用します。9月16日から23日、10月17日から11月15日は手のかかる仕事、作業に立ち向かうことがあるでしょう。ですが最後には必ず成果を挙げられます。昇進や責任ある仕事を任されることがありそうです。旅行はあなたにとって有意義なものになります。友だちは献身的にあなたを支えてくれるでしょう。影響力のある人物との出会いがあなたの目標達成に影響しそう。7月1日から9月15日、9月24日から10月14日、11月16日から12月31日には職場で少しトラブルがありそうです。収入以上の出費があるかもしれません。健康にも気をつけておいてください。ときに周りの人が自分を助けてくれないと感じることがあるかもしれませんが、あなたはそんなときほど自らの道を作り上げることができるのです。素早く、かつ落ち着いて前へ進みましょう。他人に頼るのではなく自ら動くのです。

火星の動き　火星の動きはあなたに良い結果をもたらします。11月20日から12月23日は良い時期です。好きなことができて、モチベーションも上がります。なんでも率先して行なえて、周りの人たちはあなたの成長を目撃することになるでしょう。勝負事にも強いです。経済的な利益を得るには他人のアドバイスに従うのが吉です。資産購

MAKAR RASHI（マカル ラシ）
「J」からはじまるイニシャルのあなたに。

入には良いタイミングですよ。7月1日から8月16日、10月4日から11月29日はあなたの力が試されるときです。目標達成のために多大な努力が必要になりますがその努力はきっと報われます。友だちに陰口を言われることがあるかも。誤解を生むような言動に注意です。旦那さん、奥さんの健康に気を配ってあげましょう。8月16日から10月4日は引越しがストレスの原因になりそうな悪いタイミングです。倫理観のある人たちと過ごしましょう。

水星の動き　水星の動きも良好です。7月1日から8月1日は特に好ましい動きです。収入の安定、増加が見られ、計画が前進します。9月2日から27日、10月23日から12月16日も順調。出張が実のあるものになったり、職場での障害を乗り越えられそうです。年上女性からの手厚いサポートがありそうですね。仕事を探している人、転職を考えている人、グッドタイミングです。恋愛関係も上々、旦那さんや奥さん、恋人のためにお金を使うのも良いですね、友だちもあなたを支えてくれるでしょう。8月2日から9月1日、9月28日から10月22日、12月17日から31日は他人に厳しく当たったり、嫉妬の感情に囚われたり、あなたらしくない振る舞いがあるかも。また家族の中でなにか問題が起こるかも。この時、傲慢な態度をとらないように。悪い言葉で他人を傷つけないで。高価な持ちものに気をつけておいてください。

木星の動き　木星はあなたに良いことも悪いことも運んでくるようです。肉体的に忙しい日々が続き、この肉体的な疲労が精神的なストレスに繋がります。特に7月1日から9月21日の間はエネルギーと時間を無駄にしない、これを心がけてください。さらに悪い人があなたの邪魔をしようとしているかも。借金の恐れがあります。旦那さんや奥さん、家族となにかの事情で少しの間離れないといけないような出来事が起きる可能性もあります。こうした困難を乗り越えれば、9月22日から12月31日はフィジカル的に強くなるでしょう。今の恋人との結婚が叶うかも。長年避け続けてきたものを容易くこなせてしまう時期でもあります。病気を抱える家族は快方に向かうでしょう。財政投資を始めるにも良いタイミングです。

金星の動き　金星の動きはとても良いです。7月1日から8月31日は特に進歩ある時期です。お子さんがなにかすごいことを成し遂げるかも。あなた自身には新しい出会いがあり、社会的人脈が広がるでしょう。新たな恋の予感も。お財布事情も良くなりそう。なにか新しいことを始めるにも良い時期ですし、ちょっとした贅沢品を購入するのもありです。9月1日から11月17日、12月11日から24日は取引すること、良くない友だちと会うこと、が凶と出ています。旦那さんや奥さんとの誤解が生じやすい時期かも。出費をしっかり管理しておくこともおすすめします。

土星の動き　土星は種々の結果をもたらすようです。7月1日から9月29日は将来に漠然とした不安を感じる時期。孤独感や劣等感に苛まれることもあるでしょう。そういう時期なんだと受け入れられれば少しは楽になるのではないでしょうか。自分のミスを素直に認められないことも。苦しい時期ですが自己憐憫は良くありません。一転、9月29日から12月31日は良い期間です。若い頃の自分が返ってきたような感覚が味わえそう。仕事は順調に進展を見せるでしょう。家族問題を抱える人は良い解決ができそう。あなたはこれからの人生に役立つような素晴らしい知恵や教訓をたくさん学ぶでしょう。この半年間自分の思考パターンを観察してみてください。より良い人になるためのヒントが見つかるはずです。

金運

7月、8月は財政管理が忙しくなりそう。生計を立てるには十分な収入を得られますが、7月1日から9月13日の間は収入の算段が合わずときどき厳しい経済状況に陥ることも。予定外のお金の使い方をしてしまうのが経済的に追い込まれる要因です。こういう状況では、ギャンブルなど一攫千金を狙いがちですがおすすめはできません。計画的努力が金運を上げます。人を頼るのも良いですが礼儀正しくふさわしい態度で。

女性へ向けて

7月1日から9月23日は感情的に動いてしまう時期のようです。少し普段の明晰さを見失っているようです。周りの人が自分の努力を認めてくれない、自分を尊重してくれない、と一時的な怒りや不満を露わにしてしまうシーンも。転職はうまくいかない時期です。元カレや前夫との間でトラブルが生じる可能性が。これが原因で眠れない夜が続きそうですが、劣等感、自己憐憫は良くない感情です。味方もいます。自信を失くさないで、考えすぎるくらいなら、どんどん働いて動きましょう。行動の中で自分の道を見つけられるはずです。古い問題の解決策も見えてくるでしょう。

MAKAR RASHI（マカル ラシ）
「J」からはじまるイニシャルのあなたに。

学生へ向けて

気をつけなければいけない時期です。成長、目的達成のためにより一層の努力が必要になります。7月1日から8月31日は良い時期です。順位付けのある試験で良い結果が得られるでしょう。新しい学問を始めたいと思っているならグッドタイミングです。友だちも協力的です。8月31日以降は悩みが尽きないかも。責任をなすりつけられたり、退学を考えるようなことまであるかもしれません。食生活にも気をつけましょう。

55歳以上の方へ向けて

体調管理に十分注意してください。食生活を改善し、良い生活習慣を心がけましょう。他人の振る舞いには直情的に怒りをぶつけてしまわず、大人な対処を。新しい出会いには積極的になってほしいです。9月中は近しい人との間に誤解を生まないよう注意してください。11、12月はお金のやりくりが順調です。長引く病気や症状の治療に良い時期です。低血圧、高血圧に悩む人は早急に適切な治療を受けることをおすすめします。8月16日から10月4日は特に仕事中や歩行中の怪我に注意しておいてください。

マカル ラシのあなたの覚えておきたい重要な日

良い仕事ができる、収入アップが期待できる日

7/2,3,11,12,25,26　8/2,3,4,7,8,9,21,22
9/3,4,5,17,18　10/21,22　11/15,16,24,25,26　12/13,14,22,23

職場での評価が上がる、勝負事がうまくいく、運試しが強い日

7/1,13,14,15,27,28　8/10,11　9/6,7,8
10/17,18　11/13,14,17,18　12/2,3,11,12

恋愛力がアップする日

7/21,22,29,30　8/17,18,30,31　9/13,14,21,22,23
10/11,12　11/2,3,4,7,8,29,30　12/2,3,4,7,8,29,30

疲労、怠惰、怒り、衝動的な振る舞い、精神的ストレス、不安、誤解、侮辱など負の感情に囚われる日

7/6,7,16,17　8/12,13,14,15,16　9/1,2,9,10,28,29,30
10/3,4,5,6,7,23,24,30,31　11/1,5,6,19,20,21　12/9,10,17,18

事故や怪我、障害に気をつけるべき、健康に問題がある日、旅行がうまくいかない日

7/4,5,18,19,20,23,24,31　8/1,19,20,23,24,25,26
9/11,12,15,16,24,25　10/1,2,13,14,15,16
11/9,10,11,12,27,28　12/6,7,8,15,16,24,25,26

不必要な出費や損害がある日

7/8,9,10,21,22　8/17,18　9/9,10,13,14
10/3,4,5,11,12,28,29　11/1,7,8,11,12　12/2,3,4,5,24,25,26

KUMBHA RASHI《クンブゥ ラシ》

「G」「S」ではじまるイニシャルのあなたへ

マントラ

स्राम् शनये नमः ।

スゥトラム　シャナイェ　ナマハ

クンブゥ ラシを司るHANUMAN（ハマヌーン神）について。

ハヌマーンは身体能力を司る神であり、「Yogik Shaktis」というヨガをマスターするための力を持つと信じられています。宇宙一強い身体を持つと言われており、姿かたちを自由に変えられるのだそう。インド神話最大の英雄の一人ラーマの仲間であったとされており、最も深い信仰の象徴になっています。猿がハヌマーン神を運ぶと言われています。

KUMBHA RASHI（クンブゥ ラシ）
「G」「S」からはじまるイニシャルのあなたに。

クンブゥ ラシの基本性格と運勢
深い絆があなたの運命を引き上げる！

クンブゥ ラシを司るのはハヌマーン神です。この神は西遊記の孫悟空のモデルになったとも言われています。高い身体能力を持ち、ヨガを考えた神とも言われます。あなたは機転の利くウィットに富んだ人です。想像力が豊かで宗教や哲学といった内面世界に興味があるようです。個人の自由を尊重し、人間的な幅の広さを持っていますが、堅実な生き方が合っています。それは少し小さなことも気にしてしまう小心者なところが関係しているのかも。友人関係は、数は少なくともそのひとつひとつの友情が深いのです。いわゆる狭く、深く付き合っていくことを好む人。偏見を持たず、フランクで、寛容がゆえに機転が利き、直感的で、想像力に富みますが、その反面実務的でもあります。

この部屋のあなたは考えるより感じて行動するタイプ。人の役に立ちたいという思いが強く、即行動する優しさに溢れています。たとえば、他人が苦しんでいる姿を見過ごすことができないのです。こうした慈しみは信仰心からきているようで、穏やかな態度になって現れます。シャイな性格は異性を惹きつける魅力になっています。異性とは仲良くなれるのですが、同性の友だちを作るのが少し苦手なようです。穏やかさのおかげで恋人や旦那さん、奥さんに優しくされるでしょう。「移動」という言葉が出ていますが、これはひと所に収まらないということのようです。仕事面でもこの性質が出ることがあり、収入源はひとつではないといった形で現れるかもしれません。親からの遺産を受け継ぐときは、争いごとにならないように気をつけて。身体的には頭痛や胃腸の不規則な消化不良に注意してください。

この部屋のキーワードは「筋を通す」「機知」「想像力」「行動」「優しさ」「友情」「移動」などです。

クンブゥ ラシ　２０２０年下半期の運勢

自信を持って、判断することが吉。

あなたの本質である正義を愛する半年間になるでしょう。この半年間あなたはときどき判断を下す役目を任されることや、被害妄想に駆られる出来事があるかもしれません。7月と8月は悩みの多い時期になりそう。もっとできたのに、と悔しさを味わうこともあるでしょう。ですが、自信をもって躊躇なく正しい選択をできる期間でもあります。新しい出会いには少し警戒心が必要かも。ただ、新しい異性の友だちとの関係は長く続く大事なものになるでしょう。職場では試練に立ち向かうのと同時に良い評価をもらえたりします。目上の人との誠実な関係を維持することを心がけて。プライベートの心配事からくる集中力の欠如が仕事に影響してしまうかも。ネガティブな思考は避けてください。7月1日から9月23日はとにかく誤解を生まないように。衝動的な怒りや攻撃的な言動も抑えてください。この時期は好きな仕事に就くのは難しいかもしれないので、転職もおすすめできません。転勤は良い機会です。ハードワークになりそうですが、高いモチベーションとしっかりとした考え方があれば、それも良いでしょう。

太陽の動き　太陽は良いことも悪いことも引き起こす動きをしています。7月16日から8月16日、12月15日から31日は全体として運勢が上がる時期です。良い収入が期待できます。抱える問題はあなたの望む解決に。お出かけ、旅行も楽しめます。仕事面は上司やクライアントがあなたを支えてくれますし、同僚とも友好的です。昇進や責任ある仕事を任されるチャンスも。お子さんが求職中の人は良い仕事に出会えるでしょう。12月は影響力のある人との有意義な出会いがありそう。7月1日から15日、8月16日から12月14日は健康に十分気を遣ってください。また職場で少し壁にぶつかるかも。出費の増加など、さまざまな問題が原因でストレスも増えそうですし、胃腸にも影響が。この時期は何事も心からは楽しめないかも。家族が協力的でない時期もありますが、ネガティブな思考、劣等感に囚われないことです。仕事上のライバルとの対立などで計画が遅れることがあるでしょうが、敵に構うより自分の道を進んでください。

火星の動き　種々の結果をもたらすような動きの火星です。7月1日から8月15日、10月4日から12月23日は無駄なものにお金を使ってしまうなど、金銭面で損失から動揺が見られます。その影響もあってか人に厳しく当たってしまったり、話し方も反発

KUMBHA RASHI（クンブゥ ラシ）
「G」「S」からはじまるイニシャルのあなたに。

的になりがちです。旦那さんや奥さん、お子さんの健康に気を配って、あなた自身も怪我に気をつけて。倫理観の低い人との交流があなたの頭の中のイメージを悪い方へ追いやってしまいます。8月16日から10月3日は積極的にアプローチできる期間です。新しい挑戦はきっと成功するでしょう。今の立場を維持するために多大な努力が必要な時期でもあります。12月24日から31日は計画の実行に良いタイミングです。

水星の動き　水星は良い結果をもたらす動きをしています。8月2日から16日、9月2日から27日、11月28日から12月16日が良い期間です。自分の中の流れをコントロールでき、内面的に強くなる時期です。失敗があってもすぐに立ち直れるでしょう。困難に直面してもあなたの強靭な精神がいつでもあなたを奮い立たせ、乗り越えさせてくれます。知性も向上することでしょう。あなたの人生に関するすべてのことを新しく、鋭い視点で見られるようになります。スキルも磨きがかかり、あなたの仕事や作業に役立ちます。11月28日から12月16日は友だちや家族との時間が楽しい時期。経済的な困難からも解放されます。7月1日から8月1日、8月17日から9月1日、12月17日から31日はすべてにおいて決断のとき。優柔不断はストレスの原因です。家族との争いも避けてください。

木星の動き　木星はとても良い動きです。木星が他の惑星からの悪い影響を薄めてくれます。家族会議ではあなたの意見が尊重されるでしょう。お財布も安定します。耳がおかしくなるようなことがあるかもしれませんが、適切な治療法が見つかります。どんな課題も笑顔で乗り越えられる時期。職場での業績もアップです。9月2日から11月16日は自由すぎる行動が目立ちます。エゴが出ているようです。あなたの発言や失礼な振る舞いが人を傷つけるので気をつけて。

金星の動き　金星は良い影響も悪い影響もある動きですね。7月1日から8月31日はあなたに対する信頼や尊敬、支持が高まります。もし新しい資産や乗り物の購入を計画しているなら、準備が必要です。またちょっとした道具や贅沢品にもお金をかけてしまいそうです。これからの人生に深く関わり、あなたに幸せをもたらしてくれる異性との出会いがありそう。9月28日から12月10日は壊れた人間関係に復縁の予感。旦那さんや奥さん、恋人とも素敵な時間を過ごせるでしょう。知識も増えそうです。9月1日から27日、12月11日から31日は旦那さん、奥さんに優しくしてあげてください。必要以上の心配は良くないです。出費をチェックすることをおすすめします。上司や仕事相手、同僚との衝突を避けてください。

KUMBHA RASHI（クンブゥ ラシ）
「G」「S」からはじまるイニシャルのあなたに。

土星の動き　良い方にも悪い方にも土星は作用します。7月1日から9月23日は小さな試練が待っています。良い睡眠がとれない時期があるでしょう。異性との衝突もありそう。自分が弱くなったと感じることも。法律問題に発展するようなことに気をつけてください。この期間は目と足首の状態に気をつけて。転職や転勤のチャンスがあるかも。年上の家族、また職場の上司との誠実な関係を心がけて。周りの人に避けられていると感じることがあるかもしれませんがそれは勘違いです。9月23日から12月31日は内側から強さを感じる時期です。健康状態が向上します。努力は報われ、心配事が減ります。クリエイティブな分野にいる人は革新的なアイデアが思いつくでしょう。あなたの論理的な考え方があなた自身を助けます。不思議な収入がありそうです。

金運
あまり重要な時期ではないですが、不必要な出費が多いようです。誤った判断でお金を無駄遣いしてしまっています。7月1日から8月15日、10月4日から12月23日の間は他人のものを羨むといった嫉妬心からお金を使ってしまっているかも。7月から9月は資産や乗り物を購入するのが良いでしょう。あなたは自分の社会的地位を上げるためにお金を使うようです。こんな状況でも十分な収入の流れはありますよ。

女性に向けて

良い時期です。恋愛の始まり、発展を望んでいるなら期待して良いでしょう。良い友だちもできそうです。独身の女性は仕事場での雰囲気が良く楽しく仕事ができます。同僚から尊敬のまなざしも。お子さんに関する心配事も徐々に減っていきます。好きなものを買えたり、プレゼントをもらえるかも。異性の友だちがあなたを支えてくれる存在に。この期間あなたの直感は冴えわたり、重要な決断のときもあなたを導いてくれるはずです。9月2日から10月16日はすべてにおいて注意が必要になります。特に普段からお金の計算にずさんな人は、お金の使い方が原因で最後に苦しむことになるかもしれません。

学生に向けて

成功がもたらされる時期です。特に7月16日から8月16日はパフォーマンスがすごいスピードで向上します。記憶力や物事を掌握する力も上がります。10月17日から11月20日、12月11日から31日は成功の予感。課題も締め切り前にきっちりこなせます。7月から9月は過剰な自信が良くないと出ています。復習やテスト対策は入念に何度も繰り返しましょう。それでもがっかりする結果に終わるかもしれませんが、頑張りは

KUMBHA RASHI（クンブゥ ラシ）
「G」「S」からはじまるイニシャルのあなたに。

次につながります。集中力を保つこと、ビジョンを明確にしておくことが必要です。

55歳以上の方へ向けて

いつも以上に健康に注意する必要があります。心配事のせいで良い睡眠がとれないかも。旦那さんや奥さんの健康にも気を配ってあげてください。怪我と目の健康、食生活にも気をつけて。7、8月は関節の痛みに悩まされるかもしれません。経済面で大切な人を助けると良いことがあるかも。ギャンブルや宝くじなどはやめておきましょう。小旅行やお出かけがあなたに幸せを与えてくれます。

KUMBHA RASHI（クンブゥ ラシ）
「G」「S」からはじまるイニシャルのあなたに。

クンブゥ ラシのあなたの覚えておきたい重要な日

良い仕事ができる、収入アップが期待できる日

7/4,5,13,14,15,16,17　8/10,11,12,13,14　9/6,7,8,19,20
10/3,4,5,21,22　11/17,18　12/15,16,24,25,26

職場での評価が上がる、勝負事がうまくいく、運試しが強い日

7/25,26　8/25,26　9/9,10,21,22,23,28,29,30
10/15,16,25,26,27　11/11,12,22,23　12/9,10,17,18

恋愛力がアップする日

7/27,28,31　8/1,19,20,27,28,29　9/15,16,27
10/8,9,10,23,24　11/5,6,19,20,21　12/2,3,19,20,21,29,30

疲労、怠惰、怒り、衝動的な振る舞い、精神的ストレス、不安、誤解、侮辱など負の感情に囚われる日

7/1,8,9,10,18,19,20　8/5,6,23,24　9/1,2,11,12
10/6,7,11,12　11/2,3,4,7,8,29,30　12/1,4,5,13,14

事故や怪我、障害に気をつけるべき、健康に問題がある日、旅行がうまくいかない日

7/6,7,21,22,23,24　8/2,3,4,17,18,21,22,30,31
9/17,18,24,25　10/13,14,17,18,28,29,30,31
11/1,9,10,15,16,17,18　12/6,7,8,27,28,31

不必要な出費や損害がある日

7/2,3,11,12,29,30　8/7,8,9,15,16　9/3,4,5,13,14
10/1,2,19,20　11/13,14,24,25,26　12/11,12,22,23

MEENA RASHI《ミヌゥ ラシ》

「C」「D」「Z」ではじまるイニシャルのあなたへ

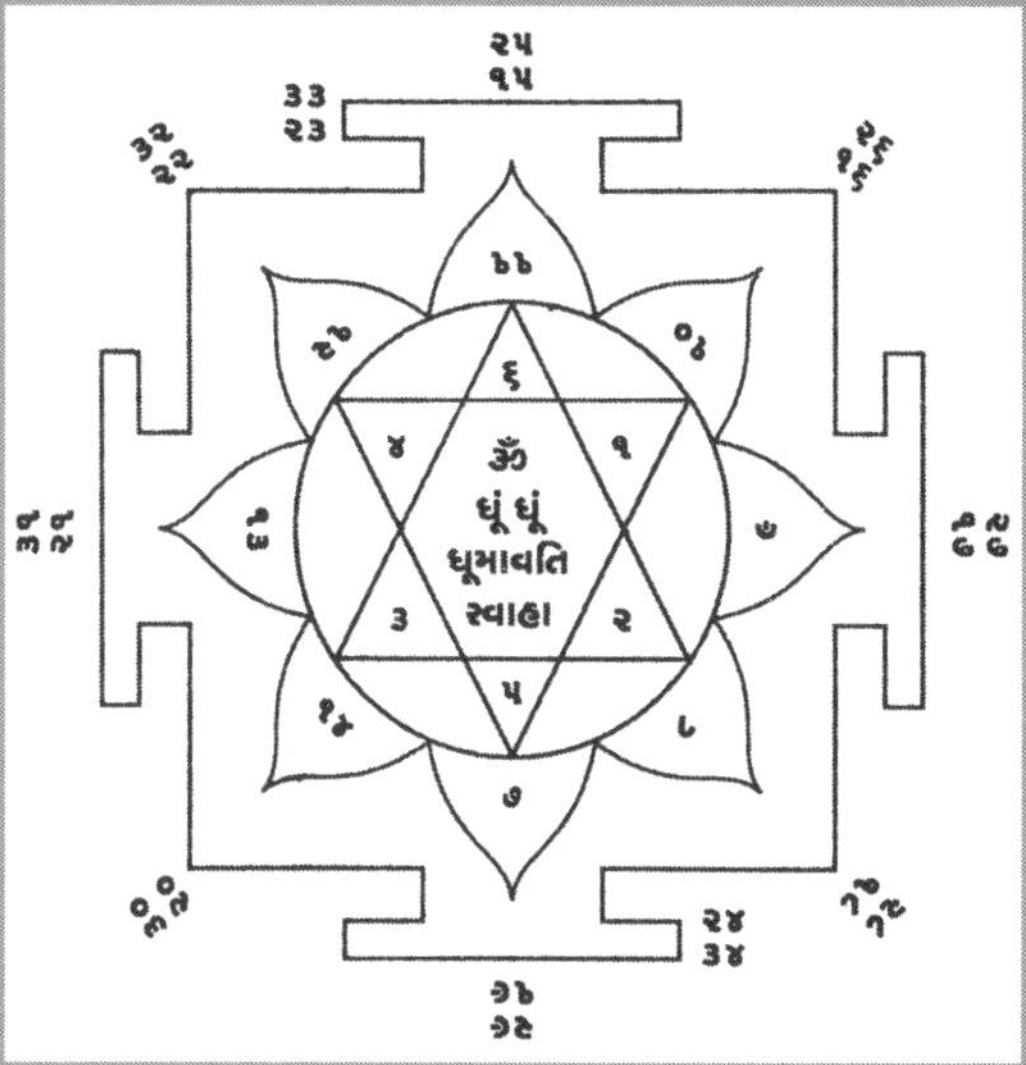

マントラ

ग्रिम गुरवे नमः ।

グリムゥ　グルウェィ ナマハ

ミヌゥ ラシを司る
SARASVATI(サラスヴァティー神)について。

サラスヴァティーは知識の女神であり、学問やすべての芸術における知を司っています。日本で言う弁才天のような神様です。芸術を司るだけあって、絶世の美女であると言われています。あらゆるものの知恵、知識、また美術や工芸分野の技術を与えてくれます。また、すべての分野において、良い成果、達成へと導いてくれる女神でもあるのです。すべての神の中で最も謙虚な女神だと言われています。大地がサラスヴァティー神を運ぶと言われています。

ミヌゥ ラシの基本性格と運勢

直感で動き、自制心が前に進ませる。

ミヌゥ ラシを司るのはサラスヴァティー神です。この部屋のあなたは大抵の場合傷つかない道を選ぼうと考えを巡らせます。独創的な心を持ち、多くを学ぶことが好きです。あなたはすべてのことに対して高いレベルで誠実に対処します。理論的な考えをする人であり、他者に対する愛など素敵な要素をたくさん持っているのです。多才で喜びを愛し、優れた文章を書く才能があります。人を迷うことなく信じる力がありま す。暮らしぶりはシンプルですが、あなたには自堕落な部分もあります。若い頃は危険に直面することもあるでしょう。あなたはときに勇敢で、ときに臆病にもなります。あなたは友だちを良き道へと誘う力があります。その行為がさらに友情を深めます。往々にして行動する前にその問題について注意深く考える慎重深さも持ち合わせています。

あなたのおおらかな気質は周りの人にはとても魅力的に見えています。人気者の要素が備わっています。芸術的な考え方を持つあなたは理性的というよりむしろ感情的で、直感で動くきらいがあります。反面、分別を持って自分の仕事の時間と休みの時間をきっちりと分けることができます。調和を取ろうとする性格が自らの行動をマネージメントしているようです。集中力には少し欠けていますが、強い意志と自制心を持ち、その自制心の強さが人に指示したり、影響を与える才能へと昇華するのです。こうした内面があなたを上に立つ人間へと引き上げるようです。

この部屋のキーワードは「調和」「思慮深い」「言語」「利他主義」「叡智」「芸術」「謙虚」です。

ミヌゥ ラシ　２０２０年下半期の運勢
良い運勢来たる！ 慢心には気をつけて。

今までの人生で最も良い時期のひとつだと言えるでしょう。財政状況も今までで一番良かったときの状態で安定します。家族と幸せな時間が過ごせます。お子さんをより一層誇りに思えるでしょう。お出かけや旅行も最高に楽しめます。将来をはっきりと見通せて来るべきチャンスを掴み取るための適切な行動ができます。健康問題を抱える人も順調な回復を見せるでしょう。職場の環境も良く、楽しく順調に仕事ができます。他人のミスを気にする傾向がありますが、少しくらい見逃してあげる余裕が大事。あなたのミスも見逃してもらえるかも。収入源が増えそうですから、贅沢なショッピングも楽しめます。ときにあなたの短気が原因で他人と衝突することがあるかもしれません。辛辣な言葉は控えましょう。また、少しエゴが目立ちます。そのエゴを他人に押し付けることだけはないように。周りの人を敬う気持ちを忘れないで。逆に劣等感も良くないです。

太陽の動き　良い働きも悪い働きもするのが太陽です。7月16日から9月15日、12月15日から30日はとても良好です。求職中のお子さんがいるのなら、良い仕事が見つかるでしょう。あなたの仕事に対するモチベーションも上がります。あなた自身の強い意志が物事をあなたの望む方へ導いてくれます。周りの人はみんなあなたに尊敬の眼差しを向けます。滞っていた作業やプロジェクトも無事に終わりそう。昇進や責任ある仕事を任されるチャンスも。きっと評価されます。7月1日から15日、9月16日から12月15日は健康に注意が必要です。家庭内での不必要な衝突は小さくても避けてください。原因不明の虚無感に襲われることがあるかもしれません。現在地とゴールの間に障害を見つけることもあるでしょう。友だちや大切な人にばかにされたりしても、けんかはいけません。構わず自信を持ってどんどん前に進みましょう。お金の無駄使いも控えて。

火星の動き　あまり良い方には火星は作用しないようです。7月1日から8月15日、10月4日から12月23日は衝動的な行為、感情を抑えて。無駄に体力を消耗するだけです。あなたの厳しい言葉で傷つく人もいるでしょうし、問題を引き起こすこともあります。優しい言葉遣いを心がけましょう。この時期はどんな状況でも怒り、反発心は

MEENA RASHI（ミヌゥ ラシ）
「C」「D」「Z」からはじまるイニシャルのあなたに。

抑えるべきです。お母さまの健康状態が思わしくないかもしれません。普段から高血圧、低血圧なら特に注意が必要です。歩いているとき、仕事中、料理中は怪我や火傷にご注意ください。8月16日から10月3日、12月24日から31日は特にエゴを捨ててください。あなたの行動が利己的なものだと周りの人に見抜かれていますよ。旦那さんや奥さんの健康に気を配ってあげてください。出費は常にチェックしておいて。穏やかに過ごしたいなら、忍耐が必要な時期です。

水星の動き　水星の運ぶ結果は波があります。7月1日から8月1日、9月2日から10月3日、11月28日から12月31日は良い影響がありそうです。家族の絆が強まります。職場でも家でも心配事が減り、悠々とリラックス状態を保てるでしょう。福祉事業に従事している人は良い知らせや成功が待っています。8月1日から9月2日、10月4日から11月27日は多大な努力が必要になる時期です。あなたの知識を生産的に使ってください。確認なしに人やものを信じるのは良くないです。矛盾した考えを抱えていると間違った決断を招きます。旦那さんや奥さん、恋人との誤解は避けてください。非倫理的な考えや方法もいけませんよ。自分の思考、感情をうまく制御できればストレスを減らせるはずです。

木星の動き　木星は良い結果をもたらします。8月16日から9月15日、9月28日から10月22日、11月22日から12月10日は仕事や作業がタイムリーに終わります。友だちのサポートもあるでしょう。ビジネスマンは必要以上の資金を集められたり、目覚ましい成長が見られそうです。お子さんやパートナーの悩みはしっかり解決に向かいます。7月1日から8月15日、9月16日から27日、10月23日から11月19日、周りの人の努力が足りていないと不満に思うことがあるかもしれませんが我慢したほうが良さそうです。良い取引のチャンスを逃すかもしれませんがそこまで大きな問題にはなりません。退職や転勤の機会があるかも。

金星の動き　良い影響も悪い影響もあるのが金星です。いくつか心配事を運んできそうです。9月1日から22日、9月28日から10月3日、10月23日から12月31日はいろんなことに積極的にアプローチできます。異性の友だちと良い絆が築けます。こじれた人間関係に修復のチャンスが。結婚の予定がある人、家庭のある人はパートナーとの時間は素敵なものですし、仕事もパートナーと実のある議論ができて順調です。新しい出会いがあれば、この先長く深く続くものになるでしょう。長期旅行が有益でしょう。7月1日から8月31日、10月4日から10月20日は陰口が気になってしまうかも。

旦那さんや奥さん、また自分自身の健康に注意してください。持ちもの、特に高価なものへの注意も必要。収入が遅れることがあるかもしれません。

土星の動き　すべてにおいて良い結果をもたらします。この半年間、土星が一番良い位置にあります。願いが叶うのは土星のおかげです。満足のいく仕事、努力ができます。少ない努力で大きな利益を得られます。ライバル、競争相手にも打ち勝つことができます。ライバルでさえあなたの有能さを認めるでしょう。健康状態も向上します。あなたにとっても、周りの人たちにとっても素晴らしい大きな決断ができるでしょう。

金運
最も良い時期です。収入は安定。大小さまざまな収入のチャンスがあります。中には予期せぬものも。新たな収入源を見つけられそうですが、それをものにするにはしっかりとしたプランとその実行が必要です。土台ができるまで時間がかかるかもしれませんが消極的な思考は良くないです。9月16日から10月22日は節約の期間。ここで浮いた分を大きな買い物か昔の借金返済に当てられます。まとまったお金が戻ってくることも。ハードワークの時期でもあります。

女性に向けて

あなたの知性とあなた自身を表現する期間です。エゴ、慢心が高まる時期でもあります。また自分のイメージを邪魔しようとする人に対して容赦ない言動をしがち。言葉には気をつけて。以上のことに注意していればとても良い時期だと言えます。家族や職場の人たちの支えもあり、いつでもあなたのしたいことができます。結婚を考えている人は進展がありそうです。あなたはあなた自身に満足できるはずです。ご褒美に洋服や小物を購入しても良いですね。

学生に向けて

記憶に残る半年間になるでしょう。卒業を控える学年の人は人生の良い転機だと言えます。順位を競うテストの成績は良好です。課題もタイムリーに終わらせることができるでしょう。あなたの意見は尊重されます。友だちがあなたに対していらだちをぶつけてくることがあるかもしれませんが、落ち着いた態度で接して。触発されてはいけません。本腰を入れて勉強してみてください。努力はきっと実を結びます。新しいアート、または哲学を学んでみると吉です。

55歳以上の方に向けて

7月1日から31日は自分自身の怒りに目を向けておきましょう。あらゆることに対して衝動的な振る舞いをしてしまったり、過剰反応してしまいがちです。いつでも楽しむ心を忘れないで。8月16日から10月3日は恋人、旦那さん、奥さんとの衝突に注意です。健康にも気をつけてあげてください。友だちとの時間は楽しいものになります。家族の問題も解決に向かいます。なにかボランティア活動などに従事する人は自分の経験を生かせればうまくいくでしょう。高血圧、低血圧の方は定期的に通院することをおすすめします。7月1日から8月15日は怪我に気をつけて。全体としては良い期間です。

MEENA RASHI（ミヌゥ ラシ）
「C」「D」「Z」からはじまるイニシャルのあなたに。

ミヌゥ ラシのあなたの覚えておきたい重要な日

良い仕事ができる、収入アップが期待できる日

7/6,7,16,17　8/2,3,4,12,13,14,25,26,27　9/9,10,24,25,26,27
10/17,18,21,22,25,26,27　11/24,25,26　12/17,18,22,23

職場での評価が上がる、勝負事がうまくいく、運試しが強い日

7/8,9,10,11,12,23,24　8/5,6,19,20,30,31　9/1,2,11,12,15,16
10/1,2,8,9,10,13,14　11/9,10,17,18　12/6,7,8,15,16

恋愛力がアップする日

7/21,22,25,26　8/17,18,23,24　9/13,14,19,20,28,29,30
10/11,12,19,20,28,29　11/7,8,11,12　12/9,10,19,20,21,31

疲労、怠惰、怒り、衝動的な振る舞い、精神的ストレス、不安、誤解、侮辱など負の感情に囚われる日

7/2,3,29,30　8/7,8,9,21,22　9/3,4,5
10/23,24　11/5,6,15,16　12/2,3,27,28

事故や怪我、障害に気をつけるべき、健康に問題がある日、旅行がうまくいかない日

7/1,18,19,20,27,28　8/15,16,27,28,29　9/17,18,21,22,23
10/6,7,15,16　11/2,3,4,13,14,22,23,29,30　12/1,4,5,11,12,24,25,26

不必要な出費や損害がある日

7/4,5,13,14,15,31　8/1,10,11　9/6,7,8
10/3,4,5,30,31　11/1,19,20,21,27,28　12/13,14,29,30

あとがき

「ヴェーダ文明」「ヴェーダ聖典」は五千年以上前からインドに広がっていました。この頃からずっとこの文明は人類の未来を予知することに力を注いできました。こうした夜空を観察するような努力の中で、惑星の動きの観察や地球の動きに対するその影響の発見、地球上の生命は数多の精密な科学のひとつであるということです。この頃から、古代インド占星術の予知の正確さには世界中が畏怖の念さえ抱いていたと言われます。ヴェーダ文化において占星術は、未来の考え、さらに個人の性格や未来を見通す「目」であると考えられています。この過程の中で、人の「生まれた日」と「生まれた時間」、「生まれた場所」を踏まえて占星図が作られます。この占星図は正確な個人の好き嫌いや性格、人生における方向性を導き出します。この占星図を読み取り、それをもとに予知を与えるにはこのヴェーダ時代から教え、受け継がれてきた科学に関する特別な知識を必要とします。

あとがき

この本はインド占星術のひとつ「ラシ」とイニシャルを組み合わせた「ラシ占い」の教えに基づいています。
インドで最も熟達した占星術師のひとりである、わたくしディヴァラト・カシヤップが日本の皆様のためにその技と経験を総動員させ、「ラシ占い」の優れた先見性を紹介しました。人々の人生を予知することにおいて非常に成功したインド古代科学が日本の皆様のすべての幸運と幸せな人生のために奉仕した初めての機会に多大なる感謝をいたします。

ありがとうございました。

ディヴァラト・カシヤップ

Information

このたびは『古代インド占術があなたの運勢を読み解くディヴァラト・カシヤップ導師の「ラシ占い」』をご購読いただき、ありがとうございました。

インド最高峰の占星術師、ディヴァラト・カシヤップ導師の鑑定はいかがでしたでしょうか？ みなさまの未来に少しでもお役に立てれば幸いと存じます。

ディヴァラト・カシヤップ導師のスタッフは月ごとの運勢鑑定の会報や個人鑑定などのサービスを年内に始めたいと考えております。

ご興味ある方はメールにてご一報いただけることを切に願っております。

よろしくお願い申し上げます。

メールアドレス
rashiprojecttokyo@gmail.com

ディヴァラト・カシヤップ導師のラシ占いプロジェクトチーム

ブックデザイン　プリーズ

ディヴァラト・カシヤップ導師（Pandit Shree Devvrat Kaashyap）

インド占星術師　1957年インドグジャラート州ヴァンドドラ生まれ。ビシュヌ神に信仰の篤い両親のもとインド神話を学ぶ。その後、瞑想、スピリチュアルアウェイクニング（本来の自分の姿を発見する術）などを修得。２５歳のときインド占星術に関する書物や先達、導師たちからホロスコープをはじめとする未来予測術のやり方を学び、研究し、研鑽を重ねる日々を体験した。5年後、身近な親戚たちの未来予知をはじめる。その的確な予知が評判を呼び、今ではインドの大臣をはじめ政財界の鑑定も行なう。インド国内のみならず、欧米諸国の政治家、財界人からの支持も厚く、中には年に数回、海外から訪れる熱心な顧客もいる。これまでインド国内での発売された著書は20冊以上。日本では本書が初の出版となる。

古代インド占星術があなたの運勢を読み解く
ディヴァラト・カシヤップ導師の「ラシ占い」

2020年6月25日　初版発行

著者　ディヴァラト・カシヤップ

発行者　北原徹

発行所　株式会社 PLEASE

〒164-0003

東京都中野区東中野1-50-4 羽場ビル4階

電話 080-3430-2333

info@please-tokyo.com

印刷・製本所　中央精版印刷株式会社

乱丁・落丁本は、ご面倒でも小社読者係宛お送りください。

送料は小社負担にてお取り替えいたします。

価格はカバーに表示してあります。

法律で認められた場合を除いて、本書からの複写・転載（電子化を含む）は禁じられています。

また代行業者等の第三者による電子データ化及び電子書籍化は、いかなる場合にも認められておりません。

© Devvrat Kaashyap 2020, Printed in Japan
ISBN978-4-908722-13-4